Guide
de la
France
mystérieuse

***

RÉALISATION DE L'OUVRAGE
Direction
René Alleau

Avec le concours de
Henri Dontenville
Président de la Société de Mythologie Française
et ses collaborateurs

Recherches
Félix Benoît (Lyon)
Jean-Jacques Bertaux (Normandie)
Pierre Fréor (Loire-Atlantique)
Jean-Paul Clébert (Provence et Paris)
Jean Guilaine
Attaché au C.N.R.S.
Muriel Lesterlin
Claude Pithois (Cotentin)
Georges Poisson (Seine, Seine-et-Oise,
Seine-et-Marne)
Conservateur du Musée de l'Ile-de-France
Monique Soulié
Gérard de Sède (Languedoc)
Gwen Le Scouezec (Bretagne)
Yvonne Tortat

Rédaction
François Caradec
Gérard Klein
Renaud Matignon
Sylvie de Nussac

Iconographie
Jean-Robert Masson
R.-J. Ségalat

Cartographie
André Leroux
Denis Roche
Robert Segond

Maquettes
Serge Kristy

Collages
Roman Cieslewicz

Sigles
Ladislas Mandel

Direction technique
Philippe Schuwer

Photogravure
I.F.A.G.

Guide
de la
France
mystérieuse

***

PRESSES POCKET

116, RUE DU BAC, PARIS

HISTOIRE LÉGENDAIRE

Étymologie savante et populaire.
Croyances et mythes relatifs à la fondation des villes.
Faits merveilleux et prodiges rapportés par les anciennes chroniques.
Cités disparues ou englouties.
Grands cycles légendaires.

CULTES PRIMITIFS

Hypogées funéraires, tumulus et dolmens.
Nécropoles préchrétiennes.
Rites et symboles primitifs.

ÉNIGMES PRÉHISTORIQUES

Menhirs, cromlechs et pierres levées.
Stèles et inscriptions énigmatiques.
Industries préhistoriques.

MYTHES ET MONUMENTS PAIENS

Archéologie gallo-romaine.
Cultes aux divinités païennes.

LIEUX SACRÉS ET MIRACLES CHRÉTIENS

Sanctuaires.
Fontaines et sources miraculeuses, pierres et arbres sacrés.
Pèlerinages et Pénitents.
Ex-voto, reliques, statues de saints oubliés.
Vierges noires.
Saints guérisseurs.
Apparitions et miracles.

LES ILLUMINÉS

Poètes et rêveurs.
Sectes et sociétés secrètes. Les templiers.
Monuments symboliques.
Alchimistes et hermétistes, mages et astrologues.

CRÉATURES MERVEILLEUSES

Fées, dames blanches, Mélusine.
Lutins, farfadets, korrigans, gnomides.

LES CLEFS DE VOTRE GUIDE

MŒURS ET COUTUMES

Survivances de coutumes magiques : rites de
guérison, de fécondité, de funérailles.
Croyances et superstitions locales.
Fêtes populaires.

BESTIAIRE FANTASTIQUE

Dragons.
Chevaux et serpents monstrueux.
Loups-garous, vouivres, sirènes.
Bestiaire sculpté du Moyen Age.

DIABLE, SORCIERS, FANTÔMES

LIEUX MAUDITS ET DÉSERTS

Châteaux légendaires.
Architectures bizarres.
Ruines.

PAYSAGES INSOLITES

Curiosités naturelles.
Faune et flore étranges.

GROTTES, SOUTERRAINS, TRÉSORS

Grottes, labyrinthes, souterrains-refuges.
Trésors.

CURIOSITÉS ET COLLECTIONS ÉTRANGES

Petits musées et bibliothèques.
Collections de folklore régional.
Art primitif, art fantastique, art naïf.

TRAGÉDIES ET FAITS BIZARRES

Batailles sanglantes.
Grandes épidémies.
Événements singuliers.
Cataclysmes et prodiges météorologiques.

DABO

(Moselle) 2 886 h. Paris 414 - Sarrebourg 21.

La chèvre a filé la laine.

Le château de Dabo soutint en 1677 un siège resté fameux.
La place dut se rendre, mais ses défenseurs avaient jeté
du haut des murs, sur les assiégeants, une chèvre morte.
Elle tenait entre ses pattes une quenouille qui portait
ces mots :

> *Quand la chèvre filera*
> *Dabo se rendra.*

Le test de la pierre.

Au Schneeberg, la *Lottelfels* est une pierre branlante. On
y menait autrefois les femmes soupçonnées d'être infidèles.
Si elles parvenaient à la faire osciller, leur innocence était
reconnue. Les fiancés s'y rendent aujourd'hui pour savoir
s'ils se marieront dans l'année. Il faut se mettre debout
dessus pour la mouvoir.

Une pluie de haches.

Les haches préhistoriques qu'on trouve en grand nombre
dans les Vosges sont encore considérées comme de précieux
talismans tombés du ciel pendant les orages. Elles s'enfoncent
dans le sol, pense-t-on, et réapparaissent à l'air libre au
bout de onze ans. Aux vaches malades, on faisait boire,

il n'y a pas même cent ans, de l'eau où avait trempé une hache de pierre.

La fortune en fumant.

Sous le *rocher de la Tête de mort*, on a souvent cherché un trésor.

On raconte qu'un garçon de Hub, passant près de la roche, avisa un tas de charbons ardents et prit une braise pour allumer sa pipe. De retour chez lui, il trouva une pièce d'or dans le fourneau de sa pipe.

Le château des comtes de Dabo fut détruit et brûlé en 1679. On racontait que, sous une pierre, un grand trésor était enfoui. Mais les hommes les plus forts du pays s'échinèrent en vain à la soulever. Un jour, deux étrangers vinrent et déterrèrent le trésor. Il leur fallut sept mulets pour l'emporter. Ils donnèrent deux bœufs à un paysan qui les avait aidés. Mais peut-être reste-t-il quelque chose du fabuleux trésor des comtes de Dabo.

Environs
Le crime ne paie pas.

Hugo le Roux, pour son malheur, tua à la chasse le chevreuil préféré d'un ermite, injuria ce dernier qui voulait s'interposer puis lui décocha une flèche en plein cœur. Le lendemain, il fut trouvé mort. Le bruit courut que le diable lui-même l'avait étranglé. Depuis, lorsque la bourrasque se lève, les habitants de Dabo croient entendre les plaintes du chasseur sauvage.

Ma femme est une sorcière.

Pierre de Lutzelbourg, qui vivait au XIIe siècle, épousa une sorcière, Ida. Elle jetait des sorts, déchaînait la tempête et, la nuit, parcourait les airs sous la forme d'un dragon. Elle descendait parfois du château pour se baigner dans la Zorn. Le comte la fit enfermer. La sorcière fit semblant de se repentir; aussitôt libérée elle déchaîna une tempête qui dévasta le pays. Pierre la fit emmurer dans une tourelle; elle y mourut de faim. Depuis, la contrée est florissante.

DALEM
(Moselle) 519 h. Paris 400 - Metz 65.

La lessive pendant la messe.
En amont de la *chaussée de Dalem*, entre Tetterchen et
Dalem, se dressait le château de Hutata, le chasseur sauvage.
A la source voisine, son épouse lave encore son linge, le
dimanche pendant la grand-messe. Le terrain s'appelle
encore aujourd'hui, sur le plan cadastral de la commune,
le *Vieux Château*.

DAMMARTIN–EN–GOËLE
(Seine-et-Marne) 1 550 h. Paris 55 - Meaux 21.

Une formule contre l'épilepsie.
A la chapelle Saint-Leu, on guérissait les enfants de l'épilepsie et de la peur. La mère devait, après avoir laissé son
enfant sous la garde du saint, faire neuf fois le tour du pâté
de maisons, sans parler ni se retourner, en récitant des
litanies.

DAMPIERRE–SUR–BOUTONNE
(Charente-Maritime) 450 h. Paris 448 - Niort 40.

Un château hermétique.
Le château de Dampierre est une demeure philosophale dont
les sculptures revêtent une signification ésotérique : dans
la galerie haute, le diable cornu, velu, porteur d'ailes mem-
braneuses, nervées et griffues, les pieds et les mains en forme
de serres (figuré accroupi); le dragon; des cornes d'abondance; le serpent Ouroboros sur le chapiteau d'une colonne,
sont des emblèmes alchimiques.

L'espoir des veuves.
La *fontaine des Veuves* alimente le *ruisseau du Roi*. Son
nom suggère qu'elle était visitée par celles qui voulaient
se remarier. La tradition locale veut qu'Aliénor d'Aquitaine y soit venue pleurer entre son divorce et son remariage.
On dit aussi qu'un grand combat contre les Anglais s'y
déroula, qui fit de nombreuses veuves.

DAMPSMESNIL
(Eure) 174 h. Paris 99 - Évreux 47.

Le réveillon du menhir.

La *Pierre branlante* de Dampsmesnil, monolithe flanqué de
deux menhirs actuellement couchés, va boire tous les ans
le jour de Noël, à minuit, à la source de *Cacaux-Rouge*. Tous
ceux qu'elle rencontrait en chemin étaient jadis transformés
en bêtes féroces. Aujourd'hui, ils deviennent des cailloux
dont la grosseur dépend du rang social de la victime. D'où
le nombre de cailloux répandus sur la plaine environnante.

Un seigneur de Normandie et son fils l'ont rencontrée; ils
sont devenus les deux menhirs qui la flanquent. Il existe
également, sur le territoire de Dampsmesnil, une allée couverte
formée de trois dolmens; sur l'un d'eux sont tracés des
signes qui rappellent ceux des dolmens de Cahaigne et de
Boury, situés l'un dans le Vexin normand et l'autre dans le
Vexin français.

DÉOLS
(Indre) 4 553 h. Paris 254 - Châteauroux 2.

Le sang de la statue.

Le 30 mai 1187, deux mercenaires à la solde de Richard
Cœur-de-Lion, roi d'Angleterre, qui mène alors la guerre
contre Philippe Auguste, jouaient aux dés. A court d'argent,
ils avaient choisi pour enjeu l'index de leur main gauche.

Le même soldat perdit deux fois. Amputé de deux doigts, il entra dans une telle fureur qu'il lança une pierre à la statue de la Vierge à l'Enfant, qui décorait, selon les uns, le cabaret, selon les autres, le portail de l'abbaye. La pierre atteignit le bras de Jésus qui tomba. Le sang se mit à couler aussitôt de la pierre et le mercenaire expira dans d'horribles convulsions tandis que retentissait un rire dénonçant la présence de Satan. On crie au miracle. Le peuple accourt. Les Anglais sont pris de terreur à l'annonce du miracle. Au matin, dit-on, Jean sans Terre vint sur les lieux et parvint à s'emparer du bras de l'Enfant Jésus qu'il enveloppa d'un pan de son manteau. Le sang se mit à couler de nouveau. Jean sans Terre devait ramener la relique en Angleterre et élever une basilique en son honneur.

La légende dit aussi que le lendemain, un dimanche, des fidèles virent la Vierge de pierre faire un mouvement, saisir les deux extrémités du voile qui couvrait son sein, le déchirer et mettre à nu sa poitrine, en signe de deuil. Averti, Richard Cœur-de-Lion vint sur les lieux, reconnut le miracle et interdit sous peine de mort que l'on touchât aux biens de l'abbaye. A quelque temps de là, la guerre prit fin. La paix fut tenue pour miraculeuse. Depuis ce temps, on va en pèlerinage à l'abbaye de la Bonne-Dame-de-Bourg-Dieu, fondée en 917 par Ebbes de Déols.

DÉSERTINES
(Allier) 3 997 h. Paris 316 - Montluçon 3.

Carnaval et prières.
Jadis, lors de la procession de Saint-Georges, on promenait un dragon de toile peinte dont la longue queue fouaillait l'assistance. Une troupe de travestis grotesques l'accompagnait. On suppliait saint Georges de ne pas faire geler les vignes.

DIEPPE
(Seine-Maritime) 26 427 h. Paris 167 - Le Tréport 30.

Des chevaux volants dans une église...
Parmi les monuments énigmatiques de Dieppe, l'un des plus remarquables est l'église Saint-Jacques, trop rarement

visitée par les touristes; ces dernières années, elle était en
cours de restauration.

Par sa conception et son plan, cette église date du XIIIe siècle
et semble se rattacher au gothique de l'Ile-de-France plutôt
qu'à l'architecture normande. Toutefois, les apports posté-
rieurs, notamment lors de la première Renaissance, évoquent,
par de curieux points de ressemblance, un autre monument
mystérieux : la *tour Saint-Jacques* de Paris.

Sur la porte du sépulcre on peut remarquer trois registres :
l'un montre l'écusson étoilé porté par deux Amours; l'autre
présente des oiseaux affrontés devant un vase chargé de
fruits; sur le dernier, on voit des aigles et des lutteurs de
sexe différent. Contre les compartiments latéraux, des cen-
taures et des quadrupèdes ailés se mêlent à des anges qui
encensent le calice et l'hostie.

... et des Indiens dans une autre.

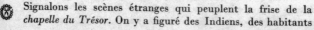

Signalons les scènes étranges qui peuplent la frise de la
chapelle du Trésor. On y a figuré des Indiens, des habitants

du Brésil et une faune exotique : un lion, un petit singe et un orang-outang qui secoue un arbre. Enfin, on remarquera dans la tour de l'église un escalier singulier, dont la rampe aboutit, au sommet, à un croissant de lune qui semble avaler un serpent.

Une pêche macabre.

Dans la première moitié du XIXe siècle, le jour des Morts était marqué à Dieppe par l'interdiction de la pêche. Si des pêcheurs s'étaient avisés de monter sur leurs barques ce jour-là, ils auraient vu apparaître un second individu semblable en tout à chacun d'eux, et ce *double* les aurait accompagnés dans toutes leurs manœuvres. Les pêcheurs devaient aussi se garder de retirer leurs filets. Car ils n'y auraient trouvé que des squelettes rompus, des os brisés.

Animaux s'abstenir.

Selon une ancienne coutume des pêcheurs, on ne doit pas *parler de chats* sur une barque ni devant quelqu'un qui amorce : si une personne mal intentionnée crie à un pêcheur qu'il a un chat dans ses lignes, il est certain de ne prendre aucun poisson. De même, il ne faut pas prononcer les noms de *lièvres, lapins, loups,* ou *renards* à bord des bateaux. Cette superstition existe aussi chez les pêcheurs de l'ouest de l'Angleterre et sur les côtes bretonnes. A Audierne, les vieux marins levaient l'ancre dès que le mot *loup* avait été dit, et ils revenaient à terre.

Les mouettes portent malheur.

Si l'on entend les mouettes, *les mauves,* crier : *Caré, Caré, Caré,* on peut *caretter* les lignes, c'est-à-dire les replier, car la pêche sera mauvaise. On assure que les mouettes viennent auprès des bateaux et qu'elles disent : « Nous sommes venues près de vous pour vous annoncer une nouvelle. Posez, virez, tournez votre chique de bord. Je vous donne deux minutes. » Et, après les deux minutes, les mouettes disent : « Carettez vos lignes, matelots, vous ne prendrez point de maquereau. »

Un Nain qui mange les baigneurs.

Un être fantastique, le *Nain rouge,* hante les rivages. C'est un esprit des eaux, que l'on a rapproché, dans les études folkloriques, du démon japonais *Kappa.* Comme le Nain

rouge, Kappa avale les enfants imprudents qui vont se
baigner sans la permission de leurs parents.

Le trésor des francs—maçons.

On a trouvé un jeton en argent provenant d'une loge maçonnique dieppoise du XVIIIe siècle. D'un côté, on lit, dans une
couronne fermée par deux palmes de myrte, l'inscription
suivante : *Jetton de la Société des Cœurs Réunis de Dieppe.*
1784. De l'autre, cette devise latine : *Via unita fortior* (la
force unie (est) plus forte), autour d'un faisceau de flèches
dont les dards sont tournés vers le bas; au-dessous, on peut
lire trois lettres : *E. F. U.* Cette société avait une loge,
fondée le 15 novembre 1766; le Vénérable, en 1811, était
un chirurgien, Trouard-Rielle. L'adresse était, à cette époque,
n° 16, rue du Lait.

DIGNE

(Basses-Alpes) 10 440 h. Paris 761 - Gap 87.

Une antique cité martyre.

Dinia, l'ancienne capitale d'une peuplade celto-lygienne,
les Badiontici, a été ruinée pendant les guerres de Religion
et dépeuplée en 1629 par la peste. Il est peu d'exemples,
dans notre histoire, d'une cité dont les neuf dixièmes des
habitants aient été victimes d'une épidémie. Tel fut pourtant

le cas de Digne dont la population actuelle est à peine plus nombreuse qu'au commencement du XVIᵉ siècle. En quelques semaines, elle tomba de 10 000 habitants à 1 000 seulement.

Les péchés capitaux et les vertus commentés en patois.

L'église Notre-Dame-du-Bourg fut construite à l'emplacement de l'ancienne cathédrale dont on aurait orné les murs de fresques bizarres. Les sept péchés capitaux avaient été représentés sur une même ligne. Au-dessus de chacun d'eux, se trouvait la vertu opposée, que figurait un buste de saint ou de sainte. Au-dessous, on voyait la peine réservée au pécheur par les démons. Chaque cadre était surmonté d'un écriteau portant une sentence en patois.

Des sources thermales antiques.

Ptolémée et Pline font mention des eaux de Digne, renommées de toute antiquité, pour la guérison des blessures et des plaies. On y voyait autrefois des étuves taillées dans le roc et on y donnait des douches ascendantes et descendantes. A notre époque, une installation moderne permet d'y soigner certaines affections cutanées. Ces eaux sont appliquées aussi au traitement interne des obstructions, des maladies scrofuleuses et au traitement externe des paralysies et des rhumatismes. Elles sont chaudes et riches en produits sulfurés.

DIJON

(Côte-d'Or) 112 844 h. Paris 327 - Besançon 94.

Moult me tarde.

Divio ou *Castrum Divionense*, ville secondaire à l'époque gallo-romaine, fortifiée en 273, n'est devenue évêché qu'en 1731. C'est pour avoir fourni 1 000 hommes au duc de Bourgogne, Philippe le Hardi, contre les Flamands révoltés, que la commune reçut le droit de porter sur ses armes la devise : *Moult me tarde.*

Diplomatie à la Bourguignonne.

Lorsque après la bataille de Novare, en 1513, les Suisses, les Allemands et les Francs-Comtois envahirent la Bourgogne, La Trémoille s'enferme dans Dijon avec une garnison de 6 000 hommes. Après avoir tenté une première fois de com-

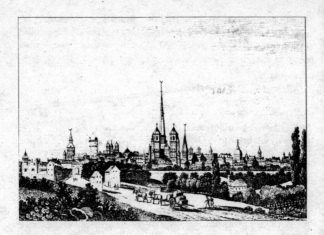

poser avec les assaillants, très supérieurs en nombre, La
Trémoille envoya de nouveaux négociateurs, accompagnés,
cette fois, de voitures chargés de vin. On but beaucoup au
cours des discussions; sans en avoir aucun pouvoir, on traita
joyeusement au nom du roi et des cantons suisses : la
France s'engageait à payer 400 000 écus et à évacuer le

Milanais; en échange, les Suisses évacuaient le duché. Le roi Louis XII refusa de ratifier ce traité pour le moins étrange, mais Dijon et le duché n'en avaient pas moins été sauvés par le merveilleux effet des vins de Bourgogne.

Coups de feu à l'église.

La *promenade de l'Arquebuse* rappelle la Compagnie de l'Arquebuse, fondée ici en 1515. Les Compagnons de l'Arquebuse, qui firent beaucoup de bruit à Chagny (Saône-et-Loire), se réunissaient une fois par an, le jour de la Sainte-Barbe, pour décharger leurs armes à feu dans les églises, après le dernier Évangile. Cet usage fut aboli par décision synodale en 1633.

Le jacquemart de l'église Notre-Dame.

L'horloge fut prise à Courtrai par le duc Philippe le Hardi (1382) et offerte à la ville de Dijon en remerciement des 1 000 hommes qu'elle avait fournis pour la campagne contre les Flamands. Elle est surmontée d'une cloche de 1383 et d'un jacquemart à quatre personnages.

Une Vierge noire des croisades.

L'église Notre-Dame possède dans la chapelle qui se trouve à droite du chœur une Vierge noire en bois datant du temps des croisades. Elle est appelée Notre-Dame-du-Bon-Espoir depuis le siège de Dijon par les Suisses au XVIᵉ siècle.

Une association de fous.

Dijon donna naissance à quelques joyeux esprits : Tabourot des Accords, auteur du premier traité de contrepèterie, *Les Bigarrures*, et des *Escraignes dijonnaises*, petit chef-d'œuvre de scatologie; et Alexis Piron, poète comique dont la difformité physique était, dit-on, la conséquence d'une farce qui avait mal tourné : s'étant enduit de colle et roulé dans du duvet pour avoir l'aspect d'un *homme sauvage*, il avait été poursuivi par les dames de la ville qui le *plumaient* en riant, et n'avait eu d'autre ressource que de se jeter à l'eau et de passer la nuit dissimulé dans la vase.

Dijon fut aussi le berceau d'une célèbre confrérie, la *Compagnie de la Mère Folle*, ou *Infanterie dijonnaise*, fondée à la fin du XVᵉ siècle sur le modèle des *Chevaliers de l'Ordre des Fous* (1381). Louis XIII supprima l'Infanterie dijonnaise en 1630. De tout temps, il semble que Dijon ait connu en

temps de Carnaval des cavalcades grotesques où les personnes de qualité se mêlaient aux vignerons, chantant et
braillant des injures à l'adresse des spectateurs.

La Compagnie de la Mère Folle était composée de plus de
500 personnes, gens de robe, médecins, bourgeois, marchands, etc., vêtus de robes de trois couleurs, vert, jaune
et rouge, coiffés d'un bonnet à deux pointes avec des
grelots; ils tenaient en main une marotte. La confrérie se
donnait pour chef une Mère Folle qui avait le droit de rendre
des jugements, dont seul le Parlement de Dijon pouvait
faire appel. La Mère Folle avait à sa disposition une infanterie de 200 hommes; l'étendard, orné de têtes de fous,
portait cette belle devise : *Stultorum numerus est infinitus*
(le nombre des sots est infini).

Le char de la Mère Folle était tiré par six chevaux; il était
assez grand pour que l'on puisse y représenter des farces
ou y déclamer des chansons d'actualité.

DINAN
(Côtes-du-Nord) 13 844 h. Paris 377 - Rennes 51.

Un duel a sauvé Dinan.

 La place du Champ-Clos doit son nom au combat singulier
que Du Guesclin y livra en 1364 avec un chevalier anglais.

Du Guesclin fut vainqueur et, en vertu des conditions fixées
avant le combat, les Anglais levèrent le siège qu'ils avaient
mis devant la ville. Une petite stèle de granit commémore
l'événement.

Le cœur de Du Guesclin.
C'est en 1810 que le *cœur de Du Guesclin* qui se trouvait
primitivement à la chapelle des Jacobins, fut transféré à
l'église Saint-Sauveur.

Des poissons dans le bénitier.
Dans l'église Saint-Sauveur, un bénitier roman du XIIe siècle,
à l'intérieur duquel sont sculptés des poissons, est encore
visible.

Le rire des philosophes.
Sur l'une des deux maisons de bois de la *place des Cordeliers*,
on remarque des sculptures : Démocrite et Héraclite se
gaussant des hommes.

Jeux obligatoires.
Jusqu'à la Révolution, pour conserver le droit de vendre le
poisson, les pêcheurs étaient astreints à participer aux
joutes maritimes et à la quintaine, qu'on organisait le lundi
de Pâques pour distraire les dames de qualité.

Environs
Un lion en laisse.
On racontait autrefois qu'il existait au château de la Garaye
une grosse pierre portant un anneau en son centre : le seigneur
y attachait un lion qu'il lançait aux trousses des passants.

DIONS
(Gard) 356 h. Paris 708 - Nîmes 17.

Grottes préhistoriques et médiévales.
La ville de Dions commande les *gorges du Gardon*, difficiles
d'accès, mais qui recèlent une grande quantité de grottes
préhistoriques creusées dans les deux rives.
La *Spelunque de Dions* (de *spelunca*, grotte, dite aussi l'*aven
des Espélugues*, autre déformation du mot *spelunca*) est un
impressionnant abîme de 150 m de diamètre. On peut y

descendre, et découvrir au fond une vaste salle prolongée par une grotte.

Les *grottes de Sainte-Anastasie* ont servi à l'habitat prè-historique, en particulier celles de *Latrone* et de l'*Esquicho-Grapaou* ou *Crapaud volant*. Elles précèdent l'ancien *oppidum* celtique de *Marbacum*, devenu *Casteviel*. En face, sur la rive gauche, se trouve un second oppidum, le *Castelas*, occupé et fortifié dès l'époque néolithique. Il paraît avoir été encore habité au Moyen Age.

DIRINON

(Finistère) 1 120 h. Paris 598 - Brest 34.

Sainteté héréditaire.

Dirinon est voué à sainte Nonn, dont le culte fut très déve-loppé en Bretagne, au Moyen Age (la *Buhes Santez Nonn* ou *Vie de sainte Nonn* est l'un des monuments de la litté-rature en langue bretonne de cette époque).

La légende veut qu'elle soit venue d'Angleterre à l'époque de l'émigration, après y avoir été séduite par un chef de clan. Elle se serait réfugiée dans la forêt armori-caine, là où se trouve aujourd'hui Dirinon, pour y vivre en solitaire. Comme elle était sur le point d'accoucher, la pierre du rocher sur lequel elle se trouvait s'amollit pour recevoir l'enfant; une source jaillit à la prière de la jeune mère pour qu'elle pût le baptiser. Il devait devenir saint Divy. Derrière la chapelle Sainte-Nonn (1577), dans le cimetière, on voit la pierre miraculeuse, apportée là par des bœufs, au moment de la construction de l'édifice. Dans l'église paroissiale, des vitraux modernes racontent des épisodes de la vie de la sainte. Le tombeau de sainte Nonn est un grand bloc de pierre. La sainte pose les pieds sur une salamandre qui crache le feu. Dans le dos du monstre est creusé un trou; on y plante un cierge dans l'espoir de faire marcher plus tôt les enfants en bas âge.

A 1 km au sud du bourg, sur la vieille route de Daoulas, un petit oratoire, avec la statue de la sainte, montre la route à suivre pour parvenir à la fontaine miraculeuse. Celle-ci est entourée de bancs de granit pour les pèlerins. L'eau de la source s'écoule successivement dans trois vasques ovales. Sous un pignon de pierre, une niche en coquille contient la statue.

A 500 m de là est la fontaine de Saint-Divy. Elle paraît plus ancienne. Son fronton porte les mêmes armes, sans date; la niche renferme la statue du saint revêtu de ses habits pontificaux.

DOINGT–FLAMICOURT
(Somme) 1 570 h. Paris 134 - Péronne 3,5.

Un menhir dans une chaussure.
Le menhir de Doingt ou *Pierre de Gargantua* est l'un des plus grands mégalithes de la Somme. Il se dresse à l'ouest du village, sur les bords de la petite rivière de la Cologne et à 150 m environ de la route de Péronne à Ham. Il mesure 4,20 m de hauteur, 1,90 m de largeur et 0,80 m d'épaisseur. La partie enterrée étant de 2,45 m, sa hauteur totale atteint 6,65 m. Le géant Gargantua sentit qu'il avait un caillou dans son sabot; il secoua son sabot et le menhir tomba sur le sol à la place qu'il occupe aujourd'hui. On dit aussi que les fées et sorciers du bois de Rocogne viennent danser la nuit autour du menhir. Un dicton populaire affirme que si le grès était tombé de l'autre côté de la rivière, les habitants de Doingt seraient devenus des chiens. *A l'plache d'ete geins in eroit tê quiens* (A la place d'être gens, on aurait été chiens). Une autre légende affirme que Gargantua aurait planté cette pierre pour boucher l'orifice d'une source.

DÔLE
(Jura) 22 022 h. Paris 375 - Dijon 48.

Le diable dans une fête religieuse.
On célébrait à Dôle, jusqu'au xvıe siècle, le jour de la Saint-Jean-Baptiste, une fête qui semble avoir été une survivance d'anciens mystères joués dans les rues. Douze jeunes gens, déguisés en diables, mimaient la danse de Salomé. Une année, on en compta treize; au moment de se démasquer, ils n'étaient plus que douze. On en conclut que le diable en personne avait participé au jeu et la fête fut interdite.

Une femme nue à la messe.
Une dame demi-nue, qui pourrait bien être une Mélusine, car les châtelaines maléfiques portent souvent ce nom en Franche-Comté, assiste à la messe tous les matins en l'église

des Carmes. Deux loups, ses compagnons de débauche, l'attendent à la porte.

Il mangeait des enfants.

On brûla en 1574 Gilles Garnier, un *loup-garou* qui avait mangé des enfants. On lit, dans la minute du procès, que Garnier avait *mains semblant pattes*.

DOMFRONT
(Orne) 3 951 h. Paris 256 - Caen 77.

Jeunes filles pour un dragon.

Devant Domfront même, la *brèche de Gargantua*, élargie par les carriers et les constructeurs de la voie ferrée, recélait, dans une de ses parois rocheuses, la *grotte du Dragon*. On donnait des jeunes filles en pâture à ce dragon.

Un cheval invité au mariage.

En 1934, on voyait encore, aux cortèges des mariages, égayant l'assistance par ses caracolades, un cheval de carnaval, nommé *Bidoche*, fait d'une échelle, de cercles de barriques et d'une tête portée par deux hommes dissimulés sous la housse coloriée. La tête des porteurs était glissée dans les intervalles des barreaux de l'échelle.

DOMPIERRE–DU–CHEMIN
(Ille-et-Vilaine) 446 h. Paris 309 - Fougères 9.

Sésame, ouvre–toi!

Il existe, aux environs du bourg, une certaine pierre qui cache l'entrée d'un souterrain renfermant un palais avec d'immenses trésors. Celui qui parvient à se rendre auprès de la pierre, muni d'une baguette de coudrier, au lever de l'aurore, le jour de la Saint-Jean, pourra entrer dans le palais et s'emparer du trésor.

DOMPIERRE–EN–MORVAN
(Côte-d'Or) 248 h. Paris 264 - Saulieu 22.

Un meunier dans l'embarras.

Gargantua s'arrêtait souvent au moulin Cassin, près du hameau de Courcelotte; il mangeait la soupe de 12 hommes et 20 livres de pain. Un jour, il dégagea l'attelage du meunier Jean Baudry, qui s'était embourbé dans ses excréments.

Une grotte à fermeture automatique.

Le *Fauteuil-du-Diable*, que l'on nomme aussi *Peron Jean* *Brondo*, est une vaste demi-cuvette; elle recouvre, dit-on, une caverne remplie de trésors. Ce rocher tourne sur lui-même et découvre l'entrée de la caverne, le dimanche des Rameaux, pendant la procession. A l'instant où le prêtre chante l'*Attolite Portas*, le Fauteuil-du-Diable reprend sa place.

DOMRÉMY–LA–PUCELLE
(Vosges) 240 h. Paris 284 - Commercy 39.

Jeanne d'Arc soutenue par les fées.

La maison natale de Jeanne d'Arc a fait l'objet de discussions. Tout en conservant un caractère paysan, elle a été remaniée. Le ruisseau des *Trois Fontaines*, qui a séparé la Champagne de la Lorraine, a été détourné au moins deux fois, et coule maintenant au sud de la maison, sans qu'on sache de quel côté celle-ci se trouvait primitivement. Dans la maison même, qu'une Anglaise voulut acquérir en 1815, mais qui est devenue propriété du département des Vosges en 1818, derrière la première salle, une petite pièce sombre et nue est sans doute la chambre même de Jeanne d'Arc. Sur la façade, au-dessous d'un arc en accolade daté de 1480, figure

le blason de la Pucelle avec l'inscription : *Vive Labeur, Vive
le roi Louis;* plus haut, dans une niche, la *Jeanne agenouillée*
reproduit la statue qui est au musée. Montaigne, au cours
de son voyage, a vu la maison, de même qu'il a vu, plus loin,
près de la route de Coussey, l'*Arbre des Fées*, détruit pendant la Guerre de Trente Ans, et dont il fut souvent question
pendant le procès de la sainte. Un *Beau Mai* a été planté en
1881, à l'angle d'un couvent de carmélites, à la place présu-
mée de l'Arbre des Fées. Un sentier descend de là jusqu'à
la *fontaine des Fiévreux.* On sait que si la châtelaine de
Bourlémont, dans le voisinage, a quelque peu cru aux fées,
et que si, dans l'esprit des paysans et soldats du temps,
Jeanne d'Arc a été *soutenue par les fées* (c'est là le sous-titre
d'un article dans un hebdomadaire catholique du 6-5-55),
elle-même a, à plusieurs reprises, protesté qu'elle n'avait
aucune accointance avec les *dames* et qu'elle refusa même,
quand elle fut blessée à Orléans, de se laisser « charmer ».

La cuve où fut baptisée Jeanne d'Arc.

Dans l'église du village, on aperçoit, à droite, en entrant, le bénitier et la statue de sainte Marguerite (XIVᵉ siècle) adossée au premier pilier. L'un et l'autre existaient au temps de Jeanne d'Arc. La cuve en pierre du XIIᵉ siècle où elle fut baptisée est conservée dans le bras gauche du transept. Au début du bas-côté gauche, un autel est dédié à la sainte à l'emplacement de l'ancien autel de Notre-Dame-de-Dom-rémy; la tête de la martyre, au visage résigné, se détache en blanc sur un pupitre et ce marbre blanc jette une clarté mystique dans l'ombre de la petite église aux voûtes basses.

DONGES

(Loire-Atlantique) 4 600 h. Paris 467 - Saint-Nazaire 10.

La pétanque de Gargantua.

Le *menhir de la Vacherie*, dressé au pied du dolmen, était surmonté d'une croix que la foudre renversa en 1780. Gargantua s'est amusé, dit-on, à bombarder de cailloux le grand dolmen et c'est l'un de ses palets qui est resté ainsi fiché en terre.

Bals de fées.

Jusqu'à une époque récente, les fées avaient des relations fréquentes et de bon voisinage avec les humains; elles se montraient toutefois susceptibles et se vengeaient des insultes. Très petites, particulièrement jolies et vêtues de blanc, elles dansaient en des lieux déterminés qu'il est facile de reconnaître; ce sont des pistes, de forme circulaire, bordées par un petit tertre recouvert d'herbes hautes et qu'interrompt seulement le passage qui sert d'entrée.

Des passants brûlés vifs.

De la taille d'une souris et, parfois, aussi grande qu'une génisse, rôde, aux environs de Donges, la *Levrette blanche*. Elle n'attaque pas les passants; mais, si on la frappe, elle bondit, renverse son adversaire et le brûle de son haleine enflammée. Au premier chant du coq, elle disparaît sous la terre.

Le cheval aux yeux rouges.

Il se tient près d'un clos et, après avoir poursuivi les passants, revient à son point de départ. Si l'on flagelle son museau avec un buis bénit, il devient docile; mais, arrivé près d'une chapelle de la Vierge, il prend la parole pour déclarer qu'il ne peut passer par là. Ses yeux sont injectés de sang.

Pour ne pas devenir loup.

Celui qui allait *courir le garou*, c'est-à-dire se transformer en loup, éprouvait une première période d'angoisse et de troubles; les goûts et les allures de la bête l'envahissaient peu à peu; il se mettait à baver, à gambader, à mordre; puis il allait, pendant trois nuits, sonner les cloches de l'église; enfin, il voulait dévorer ses parents. Pour le guérir, il fallait lui trancher la tête avec une faux et le jeter dans la Loire, où un monstre, sortant de l'eau, l'avalait. Aussitôt, l'*homme-garou* retrouvait sa tête et sa forme naturelle; il revenait parmi les siens, guéri.

Les péchés des Cent vingt et un.

Ceux qui avaient commis de grands péchés tombaient sous le pouvoir du *Grand Garou*. On comptait dans le pays de Donges cent vingt et un malheureux qui, toutes les nuits,

étaient obligés de suivre leur maître à travers la campagne,
à une allure exténuante. Parfois, les *garous* demandaient à
un voisin de les frapper avec une hache bien aiguisée afin
de ne plus courir la nuit.

Le frère aîné de la mort.

Le korrigan noir, appelé aussi le *petit charbonnier*, lutin local,
est coiffé d'un grand chapeau. Sa voix est sourde et cassée.
Il porte sur lui une bourse de cuir que l'on dit pleine d'or,
mais on n'y trouve, si on la dérobe, que du crin sale, des poils
et une paire de ciseaux. Il hante, la nuit, les marécages et
les tourbières. Il se fait appeler le *frère aîné de la Mort* et se
fait un plaisir d'annoncer les désastres.

DORTAN
(Ain) 861 h. Paris 469 - Saint-Claude 25.

Nuit de folie au dolmen.

La *Pierre-qui-Vire* de la montagne Saint-Jacques tournait
sur elle-même pendant la nuit de Noël et à la Saint-Jean. Les
sorciers de la région venaient s'y retrouver. La *Chasse sau-*
vage du roi Hérode y passait, avec sa meute bruyante et
nombreuse, qui pouvait renverser et fouler aux pieds le
voyageur.

DOUAI
(Nord) 43 380 h. Paris 197 - Arras 27.

La promenade des Gayants.

La célèbre fête de Gayant se déroule le dimanche qui suit
le 5 juillet. Elle commémore le souvenir d'un chevalier qui
sauva, dit-on, la ville assiégée. *Gayant le Père*, haut de plus
de 7 m, sa femme *Marie Gayant* et leurs trois enfants *Jac-*
quot, *Fillion* et *Birbin*, tous mannequins d'osier, vêtus de
costumes du XVIe siècle, sont promenés par la ville au milieu
d'une foule joyeuse et s'arrêtent pour sauter, danser, et faire
d'abondantes libations. Le siège auquel Gayant mit fin
remonte à 1479.

Au nombre des coutumes propres à Douai signalons les combats de coqs. Des combats se donnent au *Gallodrome* de la
rue Saint-Jacques, au numéro 12, de décembre à juillet,
chaque dimanche et parfois le lundi.

Une hostie volante.

En l'église Saint-Jacques (XVIIIe siècle) une « gloire » en
bois peint et des vitraux modernes évoquent un miracle.
En 1254, un prêtre, en donnant la communion, avait laissé
tomber une hostie. Celle-ci s'était élevée d'elle-même et
était allée se poser sur le linge dont les prêtres se servent
pour purifier leurs doigts. A la place de l'hostie, Jésus était
apparu.

DOUARNENEZ
(Finistère) 20 089 h. Paris 589 - Quimper 22.

Les restes de la ville d'Ys.

C'est dans la baie de Douarnenez que les légendes locales
situent la ville d'Ys, disparue vers le Ve siècle de notre ère.
Certains faits permettent de penser que cette croyance n'est
pas dénuée de fondement historique.

A Sainte-Anne-la-Palud l'actuel emplacement de la chapelle ne
correspond pas au lieu sacré primitif : on admet communé-
ment que celui-ci était situé nettement plus à l'ouest, en un
point actuellement recouvert par la mer ou, au moins, par

le sable de la plage. Sur la *grève du Ris*, à 2,5 km à l'est de Douarnenez, sur la route de Locronan, on peut voir, aux grandes marées, à proximité de la laisse de basse mer, un fragment de mur en brique romaine enfoncé dans le sable. Entre la grève du Ris et celle de Tresmalaoüen, qui lui fait suite, dans un chemin de terre qui unit les deux plages, s'élèvent encore les ruines d'une petite bâtisse de même nature. Enfin, un certain nombre de voies romaines convergent vers le fond de la baie de Douarnenez. *Ker-Is*, en français la ville d'Ys, avait pour roi, selon la légende, *Grallon Meur*, c'est-à-dire Grallon le Grand. Sa fille *Dahud*, ou *Ahès*, vivait dans la débauche, malgré les avertissements du saint évêque *Gwénolé*. Une nuit, le diable, sous les traits d'un amant, la poussa à dérober à son père la clé qu'il gardait toujours sur lui et qui ouvrait et fermait les *Portes de la Mer*. Ce fut cette nuit-là que, l'écluse une fois ouverte par la main du diable, les flots se précipitèrent et engloutirent la ville. Grâce à Gwénolé, le roi Grallon put se sauver à cheval, mais il dut pour cela, à la demande de l'évêque, repousser sa fille de la croupe de la monture et la jeter aux vagues. L'endroit où elle tomba porte depuis le nom de *Pouldahud*, l'abîme de Dahud, dont on a fait en français Pouldavid.

Paris sera englouti.

Devenue Sirène, la fille perdue de Ker-Is chante parfois dans la brume, sur les eaux de la baie. Il n'est pas rare non plus, disent les pêcheurs, qu'on entende des barques de pêche sonner sous la mer les cloches de la ville. Un jour viendra où la vieille cité bretonne, ayant expié son péché, reparaîtra au jour dans son antique splendeur. Cela doit advenir, selon la prophétie locale, lorsque Paris, qui n'est jamais que l'égale d'Ys *(Par Is = égale à Ys)*, sera détruite à son tour par un cataclysme :

> *Pa vo beuzet Paris*
> *Ec'h adsavo Kêr Is*

> Quand Paris sera noyé
> Resurgira la ville d'Ys.

DOUÉ–LA–FONTAINE
(Maine-et-Loire) 3 398 h. Paris 326 - Saumur 17.

Un monde souterrain.

La ville est construite sur d'anciennes carrières dont certaines galeries furent habitées et servirent de refuge au cours de l'Histoire. Pendant des siècles, la plupart des habitants de Doué et de ses faubourgs, Douces et Soulanger, véritables troglodytes, vécurent dans ces souterrains. Certaines caves, plus vastes, servirent aussi d'églises ou de lieux de réunion.

Il en était une, au centre de Doué, où l'on descendait par une pente brève, jusqu'à une sorte de narthex; puis on pénétrait dans la nef, dont la voûte était en ogive; au fond, six niches en forme d'ogive étaient surmontées d'un autel. Cette crypte était connue sous le nom d'*Ostel de la Frairie*, ce qui semble indiquer qu'elle servit, au Moyen Age, à une confrérie de bourgeois. Certains de ces souterrains rejoindraient les arènes de Doué que l'on prit longtemps pour des arènes gallo-romaines mais qui ne sont vraisemblablement qu'une carrière circulaire, taillée en gradins au début du Moyen Age, qui fut transformée en théâtre de plein air au XVe siècle, et servit jusqu'au XVIIe siècle.

DOUX
(Deux-Sèvres) 370 h. Paris 375 - Parthenay 20.

Un serpent sur un calvaire.

La route de Thénezay à Mirebeau passe sur une butte au sommet de laquelle se trouve un tumulus couvert d'arbres et de broussailles. A quelques centaines de mètres se dresse un calvaire de pierre grise, assez grossièrement sculptée. La croix s'élève à environ 5 m de haut. Le socle est percé d'une niche et placé au-dessus d'une sorte de tunnel. Ce calvaire

est flanqué de deux colonnes : l'une, à l'ouest, haute de 1,90 m, est entourée d'un serpent à deux têtes ; l'autre, à l'est, un peu plus endommagée et réduite à 1,80 m environ, porte un serpent à deux queues. S'agit-il d'un emblème de la Dive, la rivière sacrée qui sourd non loin de là, ou d'une figuration magique du cep de vigne en une région où on la cultive depuis longtemps ?

DOUZAINS
(Lot-et-Garonne) 306 h. Paris 556 - Bergerac 20.

Des chambres sous la terre.
A la Bouytousse, un souterrain de 63 m de long comprend 5 chambres circulaires, une autre rectangulaire, une dernière en hémicycle. Ce souterrain est situé à proximité de ruines romaines. Son accès est difficile, car il est partiellement bouché.

DOUZY
(Ardennes) 1 037 h. Paris 258 - Sedan 8.

Des remparts payés cher.

Quand on construisit les remparts de Douzy, une troupe de
nains vint, selon la légende, mettre la main à la pâte. D'abord
satisfaits de voir les murs s'élever, les habitants s'alar-
mèrent des prodiges dont la ville était le théâtre : les animaux mouraient mystérieusement, la foudre tomba, des
femmes accouchèrent de monstres. On décida de brûler les
nains dans le souterrain où ils passaient la nuit. Une pierre
fut roulée à l'entrée et l'on enfuma les nains. Hélas ! les
petits hommes reparurent et on vit bientôt flamber comme
bois sec le beau château du gouverneur de Douzy. Vingt-
cinq notables de la ville périrent dans l'incendie. Sans doute
s'agit-il là d'une interprétation mythologique d'un épisode de
la guerre entre la Ligue et le prince de Sedan, pendant
laquelle deux cents ligueurs furent encerclés dans un donjon
situé au centre du village, et puis vengés par le sac de la
ville.

DRACHÉ
(Indre-et-Loire) 662 h. Paris 299 - Tours 53.

Un menhir troué.

Tout près de la N. 10, à l'ouest, le hameau de Bommiers
possède un dolmen sans légende. A moins de 1 km au sud
de ce dolmen, sur une lande d'où la vue s'étend loin vers
la Vienne, se dresse la *Pierre percée*, un menhir des plus
remarquables, dit également *Pierre des Arabes*; c'est un puissant monolithe en calcaire de 4 m de haut. Vu du midi, il
a la forme d'un croissant piqué en terre. Il offre cette particularité très rare d'être percé de part en part. Le trou a
30 cm de diamètre. Les fiancés scellaient leur promesse de
mariage en y passant un bouquet de fleurs des champs.
L'herbe qui pousse au pied protège contre les sorts. Blessés
et infirmes viennent de loin pour obtenir leur guérison.

DRAGUIGNAN
(Var) 13 402 h. Paris 880 - Fréjus 30.

La ville du dragon.

Draguignan se nommait jadis *Dracoenum*, mais l'étymologie populaire a rapproché ce nom du mot *drac*, qui désigne partout le dragon.

Un dolmen par amour.

A 1 km de la ville, sur la route de Castellane, se dresse un dolmen, la *Pierre de la Fée (Peyro de la Fado)*. Il se compose de trois pierres levées, recouvertes d'une dalle de 6 m de long, de 4 m de large et épaisse de 50 cm. Les pieds s'élèvent à 2,30 m. Le dolmen est gardé par trois arbres symboliques, un micocoulier, un genévrier, un chêne.

Jadis une fée se déguisait en bergère et jouait de la mandoline, sous les bosquets d'orangers. Un jeune seigneur qui était lui-même quelque peu génie, en tomba amoureux. Il lui demanda sa main ; la fée exigea, pour prix de son accord,

que son mariage soit célébré sur une table formée de trois
pierres qu'elle lui décrivit. Il reconnut alors les pierres qui,
dix siècles, avaient roulé du haut de la montagne de Fréjus
jusqu'à la gorge que parcourt la grand-route. Le génie se
mit à l'œuvre. Il dressa les deux premières pierres, mais ne
put remuer la dernière. La fée le prit en pitié; elle se rendit
une nuit auprès de la pierre réticente et traça un cercle
magique. Une grande flamme jaillit de terre et la pierre se
trouva transportée sur les deux autres. A l'aube, elle attendit
son amant pour jouir de sa surprise. Mais celui-ci, voyant
le miracle, dut avouer qu'il était un génie condamné à mourir le jour où il aimerait une fée plus habile que lui. Désespé-
rée, la fée le suivit dans le trépas.

DROMESNIL
(Somme) 152 h. Paris 157 - Amiens 34.

Elle reparaît après son assassinat.

Des apparitions ont lieu au *Chêne-Fée*, vieil arbre voisin de
la vallée du Diable et de la vallée d'Enfer. C'est l'âme d'une
châtelaine assassinée. Une chronique romancée, écrite en
1847, a probablement déterminé cette croyance des habitants.

DRUYES–LES–BELLES–FONTAINES
(Yonne) 436 h. Paris 229 - Clamecy 17.

Une demande en mariage, quatre morts.

Jadis, devant la porte du château, se dressait une croix de
pierre, appelée *Croix des Gueubles*. Elle rappelait un crime :
Pierre Née, juge de Druyes, avait trois filles. Il refusa l'aînée
à un gentilhomme, Louis Gueuble, qui la demandait en
mariage. Gueuble, accompagné de ses frères, poignarda Née
au sortir de l'audience, mais la veuve de Née demanda et
obtint justice. Les frères Gueuble furent roués vifs et la
veuve rapporta de Bourges à Druyes leurs têtes dans un
sac; elle les fit planter sur des pieux à l'endroit du crime.

DUESMES

(Côte-d'Or) 118 h. Paris 265 - Châtillon-sur-Seine 39.

Pour faire pleuvoir.

En cas d'extrême sécheresse, neuf jeunes filles entraient dans
la *Fontaine Cruanne* pour faire, de nouveau, couler la source.
Le succès dépendait de leur pureté. Selon une autre tradition,
les jeunes filles vidaient complètement le bassin de la fontaine et le nettoyaient pour faire tomber la pluie.

DUNEAU

(Sarthe) 573 h. Paris 194 - Le Mans 27.

Un dolmen géant.

On peut voir, au bord du vieux chemin de Connerré à Dollon
le plus grand dolmen de la région. Sa table a 60 cm d'épaisseur.

DUNG

(Doubs) 333 h. Paris 431 - Montbéliard 5.

Dung et la vouivre.

Un dragon ravageait le pays d'Ajoie. Un hercule de Dung le
terrassa. Mais une vouivre vit toujours sur la montagne de
Dung.

DUN–SUR–MEUSE

(Meuse) 669 h. Paris 266 - Verdun 30.

Un menhir tombe d'une hotte.

En remontant le cours de la Meuse, on rencontre le *menhir*
de Milly. Un démon qui le tenait dans sa hotte l'a laissé choir
là. Les habitants de la région l'appellent la *Hotte du Diable.*

Ce grand menhir de plus de 2 m de haut était sans doute
entouré de pierres levées de petite taille qui ont été utilisées
ou enfouies. Une seule a été relevée et placée dans le cimetière; on peut la voir derrière la croix centrale.

DURDAT–LAREQUILLE
(Allier) 1 171 h. Paris 333 - Montluçon 21.

Un test matrimonial.

Près de la Malentrée se dressent encore le *rocher du diable*
et le *rocher de la baleine*. La nuit du 19 mai, les filles en mal
d'époux montaient sur la pierre et se laissaient descendre en
glissant. Le mariage était proche si elles arrivaient à terre
sans écorchure.

DURY
(Somme) 1 246 h. Paris 137 - Amiens 7.

Un déplacement inutile.

Sur la route nationale de Paris à Dunkerque, en bordure du
bois d'Hébécourt, une chapelle est adossée à un chêne mort.
Cet arbre a plus de 4 m de circonférence. On y trouva jadis
une statuette du Moyen Age représentant la Vierge. Dépla-
cée, elle revint au lieu de sa découverte. On dit que les haches
des révolutionnaires ne purent faire au chêne sacré que des
entailles superficielles. Cet endroit était, autrefois, un lieu
de pèlerinage.

EAUX–CHAUDES (Les)

**(Basses-Pyrénées) Commune de Laruns 1 790 h. Paris 801 -
Oloron 38.**

Environs
Les derniers ours.

La réserve naturelle du pic du Midi-d'-Ossau, créée en 1947,
a pour but de sauver les derniers ours bruns des Pyrénées.

Des chamois et des isards y trouvent en même temps un
sûr refuge, loin des hommes.

EBERSWILLER
(Moselle) 584 h. Paris 337 - Metz 36.

L'invention de saint Fridolin.

On a retrouvé près de Heiligbronn *(fontaine sacrée)*, un bas-
relief de Diane dans les décombres d'un petit temple. La
fontaine fut dédiée à saint Fridolin et devint l'objet d'une
dévotion régionale. On venait de loin le premier dimanche
de mai, en bandes joyeuses, danser autour de la fontaine.
Les pèlerins se baignaient les yeux avec l'eau de la source.

ÉCHELLES (Les)
(Savoie) 1 093 h. Paris 540 - Chambéry 23.

Un escalier sous la ville.

Ce bourg, qui fut le *Labisco* des Romains, sur la grande voie
de Milan à Vienne, doit son nom à un passage taillé à même
le roc, sous forme de large escalier, que dut faire creuser
la légion romaine chargée de percer la route de Chambéry.

Voies gauloises et romaines.

Sur l'autre route de Voiron, en passant par le col de la Croix-
des-Mille-Martyrs, on franchit une ancienne voie gauloise qui
suit les lignes de crête. Un peu au nord s'étend un pré nommé
le *camp-de-Pompée*, baptisé plus tard *camp-de-Saint-Roch*
et où dut se dérouler un violent combat. Ce lieu, en tout cas,
fut occupé très anciennement. On y a découvert plusieurs
tumulus. Dominant le camp, la *Pierre-Pointe* est un rocher
naturel aménagé en belvédère pour la surveillance de la
vallée. Un trou a été creusé à sa partie supérieure. Au nord
de la Croix des Mille Martyrs se trouve le dolmen de la *Pierre-
à-Matta*, bloc erratique de plus de 3 m de long posé sur deux
autres rocs.

A Macherin, on distingue encore un tronçon de la voie romaine. Le pavage en a été respecté.

Saint Roch et la fée.

Sur la route de Voiron par Miribel, au-delà d'une chapelle consacrée à saint Roch, jaillit la *source de la Morgue*, c'est-à dire de la *fée*. Le défilé porte ici le nom de *Pierre-Chave*, ou *Pierre-Chauve*.

Une mairie dans une commanderie.

La mairie occupe l'ancienne commanderie de l'ordre de Saint-Jean-de-Jérusalem, dont on peut voir les armes au fronton d'une maison voisine.

ÉCHIRÉ
(Deux-Sèvres) 1 345 h. Paris 402 - Niort 9.

Des passants giflés par une lavandière nocturne.

La lavandière nocturne du *château Salbart* se tient, selon la légende, près du pont construit sur l'ancien gué. Les battements précipités de son battoir éloignent les voyageurs. Cependant, si l'un d'eux se hasarde sur le pont, elle se contente de lui donner des soufflets.

Le monstre fait sa tournée.

On assure aussi qu'une *galipote* parcourt sept communes toutes les nuits. A l'aube, elle doit être rentrée chez elle. La plus légère atteinte d'une arme ou d'un projectile lui rend sa vraie forme; la seconde met fin à son existence.

Mélusine n'a pas terminé.

D'après la légende, Mélusine construisit en trois nuits le *château Salbart*. La tradition veut d'ailleurs que, comme toutes les constructions de la fée, l'édifice n'ait jamais été fini. Au pied du donjon, un petit réduit voûté est connu sous le nom de *grotte de la Mère Lusine*. On dit qu'elle en sortait à minuit pour son sabbat.

ÉCLUSIER–VAUX
(Somme) 66 h. Paris 145 - Amiens 40.

La salle à manger devenue église.

L'église serait l'ancien réfectoire des religieux de l'abbaye de Saint-Vast. C'est une sorte de crypte, dans laquelle

on descend par sept marches. Lorsque saint Vast venait
d'Arras, il empruntait un chemin sur lequel l'herbe ne pousse
plus.

Un saint et son ours.

Saint Vast était accompagné d'un ours qu'il faisait boire
dans la cavité d'une pierre sur laquelle, par la suite, les
femmes firent asseoir leurs enfants afin qu'ils marchent plus
tôt. Tradition qui s'explique sans doute par l'homonymie
entre le nom du saint et l'impératif du verbe *aller* (*vast* = va !)
en ancien français.

ÉCORDAL
(Ardennes) 348 h. Paris 223 - Vouziers 24.

Un saint inconnu.

Dans les bois d'Écordal, au lieu dit *Forêt-de-Mombi*, on vénérait une statue de pierre représentant un saint dont personne
ne savait le nom. Un étranger briguait la main d'une jeune
fille du pays. Elle conduisit son fiancé devant la statue et
demanda : « O saint, approuves-tu mon choix ? » La statue
s'anima, ouvrit la bouche et dit : « Non. » L'étranger
s'enfuit et l'on apprit bientôt qu'il s'agissait d'un brigand
qui désolait la vallée de la Meuse.

Les passants se dédoublent.

Au *pré Jacques* se produit un effet de mirage. Par les nuits
d'été, quand la lune brille, un brouillard se lève sur la prairie
et le voyageur qui se dirige vers Écordal voit se profiler
devant lui sa propre silhouette : elle marche s'il marche ; elle
s'arrête s'il s'arrête.

Une herbe toujours verte.

Au *pré Jean-Leroy*, l'herbe est verte en toute saison, formant un grand cercle de 13 m de diamètre. A ce signe on
reconnaît le lieu du sabbat.

ÉGUZON
(Indre) 1 507 h. Paris 301 - Argenton 20.

La poule crie lors des mariages.
Lorsque le cortège d'un mariage était en marche, on portait
devant la fiancée une poule blanche choisie dans la basse-
cour et on la faisait crier en lui arrachant des plumes. La
poule blanche était considérée comme le symbole de l'innocence et de la chasteté.

ELNE
(Pyrénées-Orientales) 5 091 h. Paris 946 - Perpignan 14.

Une princesse abandonnée par Hercule.
Une princesse, abandonnée par Hercule, se retira dans la
forêt d'Aibère où les bêtes sauvages la dévorèrent. Cette
inconsolable portait, selon une fable tardive, le nom de
Pyrénée, que prit la cité ligure qui est à l'origine de la ville
d'Elne. Les Ligures, dont Hérodote cite déjà les voyages
au VIIe siècle av. J.-C., de race inconnue, de langue mystérieuse (quelques mots seulement en sont conservés) affron-
tèrent les Phocéens dans les premiers temps historiques.
Selon une autre version, Pyrénée tomba dans un profond
sommeil, dont les appels et les larmes d'Alcide réussirent à
la réveiller.
Le cloître de la cathédrale Sainte-Eulalie possède l'un des
bestiaires fantastiques les plus curieux du Midi de la France.

EMBRUN
(Hautes-Alpes) 3 120 h. Paris 721 - Gap 38.

Une source jaillie d'un bénitier.
La ville fut d'abord un centre romain important, sous le
nom d'*Ebrodunom*. Une source sacrée y fut captée dans un
fanum, temple à miracles médico-magiques. L'église ne
manqua pas d'utiliser la présence de cette source et le
baptistère est l'objet d'une légende particulière. Après
qu'une chapelle eut été bâtie par saint Marcellin, l'eau
jaillit soudain du baptistère de pierre.

A cheval dans l'église.

Le 19 novembre 1585, le duc de Lesdiguières, chef calviniste, ravagea la ville et voulut entrer à cheval dans l'église Notre-Dame. Son cheval se cabra, sous l'effet d'une terreur que les habitants de la ville tinrent pour miraculeuse; il ne put réaliser son dessein.

Des lions dans la ville.

Sans que l'on sache vraiment pourquoi, de nombreux lions décorent les monuments de la ville. On en voit représentés sur la maison gothique de la rue de la Liberté et sur celle des *Chanonges* ou Chanoines. Le porche de l'église Notre-Dame, dit *le Réal*, est supporté par des colonnes roses ornées de lions. Dans la *Tour brune*, qui est un ancien donjon carré du XIIᵉ siècle, figure (au troisième étage) un graffiti curieux représentant un combat : le lion britannique terrasse l'aigle français.

Un saint imaginaire.

Un ouvrage du XVIᵉ siècle, la *Confession de Sarcy*, rapporte une curieuse dévotion dont toute trace est aujourd'hui perdue. Jusqu'à la fin du XVIᵉ siècle un saint imaginaire, saint Fontin, était honoré à Embrun. Lorsque les Protestants prirent cette ville, en 1585, ils trouvèrent parmi les reliques de l'église principale la verge de saint Fontin. Elle était un objet de dévotion pour les femmes.

ENGWILLER
(Bas-Rhin) 339 h. Paris 463 - Haguenau 15.

Une femme blanche dans la nuit.

Dans le vallon qui suit le chemin de Mistesheim, on voit parfois, la nuit, une jeune fille en larmes, vêtue du traditionnel costume alsacien, mais entièrement blanc. Elle montre du doigt le cimetière d'Engwiller. C'est l'âme en peine d'une pauvre fille qui tua autrefois son enfant en lui fracassant la tête sur une roche.

ENNORDRES
(Cher) 556 h. Paris 182 - Bourges 41.

Remèdes de toutes sortes.

Il ne fallait pas, disait-on, s'asseoir sur la bûche de Noël destinée à brûler trois jours dans l'âtre, sous peine d'avoir des furoncles. Pour guérir des hémorroïdes, il suffit de porter sur soi un anneau ciselé dans un fer de mulet. Un malade risquait une longue agonie s'il avait brûlé imprudemment un joug de bœufs au cours de sa vie. Le seul moyen de le délivrer consistait à placer un joug semblable sous son oreiller.

Une bergère saisie par la magie.

Selon la tradition locale, une bergère se mêla un jour de lire un livre de magie noire qu'elle avait trouvé par terre. Peu à peu, le troupeau qu'elle gardait s'éloigna et finit par rentrer à la ferme. Inquiète de l'absence de la bergère, les maîtres la cherchèrent et la trouvèrent assise au pied d'un arbre, incapable de faire un mouvement; le diable était à son côté.

Une femme par an.

Un monstre à sept têtes infestait jadis le pays. Il attendait chaque année, à la croisée d'un chemin, qu'on lui apportât une jeune fille en pâture. Un cavalier, qui passait à cet endroit, rencontra la victime et décida de se cacher pour attendre la venue du monstre. Il le vainquit; la belle retourna à son village. Cette légende trouverait sa source dans l'histoire réelle d'une rivalité d'héritage entre deux jeunes seigneurs : le cadet, ayant été supplanté par son frère, décida de se venger et promit qu'il mettrait la région à feu et à sang si on ne satisfaisait pas à tous ses désirs. Il réclamait, en matière de tribut, qu'on lui donnât chaque année, une vierge. Honteux de devoir satisfaire un tel caprice, l'aîné répandit l'histoire du monstre à sept têtes.

ENSISHEIM
(Haut-Rhin) 4 045 h. Paris 435 - Colmar 33.

Une pierre tombée du ciel.

En 1492, un énorme aérolithe s'abattit dans le voisinage
d'Ensisheim, après qu'eut éclaté un formidable coup de
tonnerre. On recueillit cette pierre *tombée du ciel* dans
l'église d'Ensisheim et on grava cette inscription : « Beaucoup ont parlé de cette pierre, tous ont dit quelque chose,
personne n'en a dit assez. » L'écho de l'étonnement que fit
naître ce prodige se perpétua longtemps dans les almanachs
populaires, les livrets de colportage et les prédictions des
astrologues. La réputation de la pierre étrange était si grande
qu'il ne passait pas un grand personnage dans la région
sans qu'on lui offrît une parcelle de l'aérolithe. Réduite
aujourd'hui à la taille d'un caillou, la pierre est conservée
à l'hôtel de ville.

ENTREMONT–SUR–BORNE
(Haute-Savoie) 383 h. Paris 586 - Bonneville 19.

Des reliques sauvées par un mulet.

Un soir d'hiver, une caravane de moines passait dans les
environs de l'église d'Entremont; elle venait de Rome et

se dirigeait vers Abondance. La tempête l'assaillit; un mulet, chargé de reliques, échappa à son conducteur et vint frapper à la porte de l'église abbatiale. Comme personne ne lui ouvrait, l'animal rua si fort qu'il enfonça le panneau, mais y laissa son fer. Il pénétra dans la nef et s'arrêta à l'entrée du sanctuaire où les chanoines étonnés le débarrassèrent de son précieux fardeau. Cette légende populaire est rappelée par l'empreinte d'un fer de mulet, gravée actuellement sur la porte d'entrée de l'église, avec, au-dessous, l'inscription suivante : « *Haec nota erat in antiqua. J.G.C.R. 1723* », c'est-à-dire : Cette marque était sur l'ancienne porte. Jean Gaillard, chanoine régulier 1723.

ENTREVAUX
(Basses-Alpes) 1 040 h. Paris 842 - Castellane 41.

Environs
Pour faire un mariage heureux.

Saint-Jean-du-Désert est un ermitage juché sur la montagne. Les habitants de la vallée vont y passer la nuit de la Saint-Jean. Les jeunes gens y construisent des *montjoie*, semblables aux *castellets* de la SAINTE-BAUME, les garçons avec des plaques de schiste, les filles avec des fossiles. Ces petits cairns portent bonheur aux nouveaux fiancés; leur construction évoque, de façon très réaliste, les formes sexuelles.
Au cours de cette fête, on danse la farandole, le visage barbouillé de la boue qui stagne au fond de la source jadis sacrée.

Musaraignes comme dessert.
Lors de la fin des moissons a lieu un repas très particulier 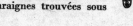 au cours duquel on mange les musaraignes trouvées sous les dernières gerbes de blé.

ÉOURRES
(Hautes-Alpes) 62 h. Paris 729 - Gap 53.

Un veau d'or sous la montagne.

Des richesses considérables seraient cachées dans la montagne de Néou. Un dicton dit, en effet, en patois :

> Entié pé Méou et Marron, la Vaco
> d'Oli les encaro.

Ce qui signifie littéralement : « Entre la montagne du Pied de Mulet et la montagne de Marre, la vache d'huile y est encore. » Il s'agit d'une déformation d'*ori* (en or) en *oli* (en huile).

ÉPINAL
(Vosges) 28 688 h. Paris 374 - Vittel 43.

Un géant à queue de serpent.

On peut voir, dans le hall d'entrée du musée, un moulage du cavalier à l'anguipède, représentant le triomphe d'un soldat romain sur un géant dont le corps se termine en queue de serpent.

Environs
Démêlés avec un diablotin.

Non loin de la *fontaine des Trois Soldats*, où l'on retrouva morts trois soldats de l'armée de Charles le Téméraire, se trouve la *roche de Bénaveau*. C'est là que le diable tient ses assises et que les sorciers se réunissent pour le sabbat. Sotré est le compagnon du diable. Malicieux et surtout vindicatif, il emmêle tout ce qui peut être emmêlé, la crinière des chevaux, le fil du tisserand, les cheveux des filles.

ÉPINE (L')
(Hautes-Alpes) 224 h. Paris 697 - Gap 45.

La pureté amène la pluie.

On a longtemps rapporté la curieuse habitude qu'avaient ses habitants de déléguer une pucelle pour obtenir du ciel une pluie bienfaisante. Un chroniqueur de la fin du XIXe siècle se fit ainsi l'écho de cette tradition : « Lorsqu'il y avait des chaleurs excessives, les populations accouraient en foule sur les bords d'une fontaine située dans la paroisse de L'Épine. Là, tous les vieillards et les matrones choisissaient une fille jeune et pucelle, entre toutes la plus vertueuse et la plus pure. Alors la jeune fille, dépouillée de ses vêtements et nue en sa chemise, tandis que le peuple entier était en prières, se plongeait au sein de la fontaine et purifiait le bassin de toutes les matières immondes qui troublaient la limpidité de son cristal. A peine les eaux réfléchissaient-elles le pur azur du ciel que l'orage grondait à l'horizon et bientôt d'abondantes pluies venaient désaltérer la terre embrasée. » On voit encore cette fontaine. Les jeunes filles ne s'y baignent plus.

EPPEVILLE
(Somme) 1 624 h. Paris 122 - Amiens 66.

Une pierre qui pousse.
Gargantua fit tomber de son sabot les cinq grès qui constituent l'alignement visible à quelques pas du canal de la Somme. Le plus gros, haut et large de 1,90 m, épais de 0,60 m, est surnommé la *Pierre-qui-pousse* : elle grandit lentement, comme une plante, gémit la nuit et tourne sur elle-même pendant la nuit de Noël. Des fées dansent volontiers autour d'elle et le crépuscule les fait s'évanouir dans la brume.

ERBALUNGA
(Corse) Commune de Brando 1 000 h. - Bastia 10.

Une procession pieds nus.
Une procession part, le matin du vendredi saint, pour la *cerca*, (la recherche), avec le lourd Christ de la paroisse, et parcourt tous les villages de la vallée de Brando, par un trajet de 7 km. L'homme qui porte la croix est souvent pieds nus, et il arrive aussi qu'à la suite d'un vœu, hommes et femmes, derrière lui, soient déchaussés.
Le soir, c'est la procession traditionnelle de la *granitola* : procession en forme de spirale qui s'enroule, se déroule, puis forme une croix.

ERR
(Pyrénées-Orientales) 302 h. Paris 1005 - Prades 40.

Une compagnie d'assurances dans une chapelle.
Selon la tradition, le mugissement d'un taureau a fait
découvrir une Vierge noire dans un tronc d'arbre. En 930,
une chapelle fut consacrée à cette statuette, qui protège
contre la pluie, les maladies contagieuses, la sécheresse, la
foudre et l'incendie.

ESCOMBRES–ET–LE–CHESNOIS
(Ardennes) 302 h. Paris 263 - Sedan 15.

Deux ombres se battent.
La fille du châtelain était si belle que son père la tenait
enfermée. Un berger vendit son âme au diable, par l'inter-
médiaire du sorcier municipal, pour voir la jeune fille une
fois. Elle lui apparut, puis, sans un mot, disparut à ses
yeux. S'estimant lésé, il tua le sorcier. Depuis, durant les
nuits d'hiver, on entend appeler et pleurer du côté de la
forêt. Le meurtrier et sa victime se cherchent et se battent
dans l'ombre.

La vaisselle des nains.
Au *Vivier des Sarrasins*, des nains inoffensifs festoient la
nuit. Ils se ne servent, dit-on, que de vaisselle d'or.

Fertilité des cimetières.
Au *jardin de la Forteresse*, la terre est plus noire et plus
fertile qu'ailleurs : ce jardin, dit-on, est un ancien cimetière.

ESCUROLLES
(Allier) 623 h. Paris 329 - Vichy 18.

Une herbe pour coureurs cyclistes.
On y parle encore du *matagot*, herbe qui pousse sur les
talus et qu'on ne peut récolter qu'à minuit. Le pic-vert
venait, dit-on, y frotter son bec pour le durcir et pouvoir
percer l'écorce des arbres. Les garçons le cueillaient aussi
pour s'en frotter les jarrets dans l'espoir de courir plus vite.

On cite encore le nom d'un vieillard qui en fit usage, avant
la Première Guerre mondiale, alors qu'il était tout jeune,
pour remporter une course cycliste.

ESPALION
(Aveyron) 3 660 h. Paris 581 - Rodez 32.

Une statue disparaît.
La Vierge noire d'Espalion fut apportée d'Orient par un
des seigneurs de Calmont-d'Olt, dont on peut voir le château
ruiné à la sortie du bourg. Quand ce château fut abandonné,
la statue disparut, pour reparaître miraculeusement sur
l'autel de la chapelle de l'hospice.

ESPALY–SAINT–MARCEL
(Haute-Loire) 2 665 h. Paris 516 - Le Puy 2.

Des orgues au bord de la rivière.
Le village d'Espaly est situé sur la Borne. Des rochers
volcaniques de forme fantastique s'élèvent au bord de
l'eau. Du côté de la rivière, ils sont à pic, composé de plusieurs étages de prismes et de colonnes basaltiques, qui
ressemblent à des tuyaux d'orgues, d'où leur nom : les
orgues d'Espaly. Certaines de ces colonnes ont 20 m de haut.

ESPELETTE
(Basses-Pyrénées) 1 174 h. Paris 761 - Bayonne 22.

L'arbre de vérité.

Le nom d'Espelette vient de *espeles*, buis. Les buis couvraient, autrefois, les vallées du Labaud et de la Navarre; on prête encore à ces arbres une vertu mystique et magique : ils font connaître la vérité.

ESPÈS–UNDUREIN
(Basses-Pyrénées) 365 h. Paris 800 - Pau 70.

Ponts et chaussées surnaturels.

Ce sont les *laminaks*, petits génies bienfaisants, qui ont bâti le pont d'Espès. Ils étaient douze mille à se passer les pierres et tous s'appelaient entre eux *Gilen* (ailleurs, *Guillaume* est le nom du diable). Si le mur est penché, c'est que les laminaks se sont hâtés pour finir leur travail avant le lever du jour. On dit aussi que, lorsqu'ils se laissaient surprendre par le chant du coq, obligés d'abandonner leur travail, ils s'écriaient : « *Martchoko ollar gorria, madarikalkala mihia!* » c'est-à-dire : « Coq rouge de mars, que ta langue soit maudite ! » La même légende est attestée au pont de Licq et pour plusieurs églises et maisons du pays de la Soule.

ESQUIÈZE–SÈRE
(Hautes-Pyrénées) 562 h. Paris 830 - Lourdes 32.

Enlèvement d'une jeune fille.

Les habitants d'Esquièze pratiquent encore la danse *Baiar* (de : cheval bai). Au son de la flûte et du tambourin, les danseurs évoluent, figurant les gens d'armes d'un chevalier à la poursuite d'une jeune fille (garçon déguisé) enlevée par les infidèles. Cette danse illustre le tenace souvenir de la terreur qu'inspirèrent les Maures dans les vallées pyrénéennes.

ESQUIULE
(Basses-Pyrénées) 639 h. Paris 802 - Oloron-Sainte-Marie 11.

Les nains bons à tout faire.

Les *laminaks*, ces génies bienfaisants qui hantent le Pays basque, sont, à Esquiule, plus petits qu'ailleurs. Il arriva même qu'un jour ils se mirent au service de la maison Mendiondo, sous la forme de dix mouches. A peine les avait-on chargés d'un travail qu'il était fait. Elles venaient bourdonner : « *Cer éguin? Cer éguin?* — Quoi faire? Quoi faire ? » Tant et si bien que la maîtresse de maison, à bout de patience, leur donna dix oies et les congédia.

ESSARTS (Les)
(Vendée) 2 751 h. Paris 410 - La Roche-sur-Yon 20.

Un jardin de plantes humaines.

Le maraîcher Joseph Marmin a fait pousser des plantes sur des armures de jonc et les a taillées pour leur donner la forme d'êtres vivants. Le spectacle de ces silhouettes se dressant au milieu des herbes, à la fois animales par la forme et végétales par la matière, donne à ce remarquable jardin un cachet d'étrange et saisissant qui eût comblé d'aise Raymond Roussel et les poètes surréalistes.

ESSÉ
(Ille-et-Vilaine) 949 h. Paris 334 - Vitré 23.

Déménageurs de dolmens.

Dolmen de la Roche-aux-fées : long de près de 20 m, il est composé d'une entrée monumentale à laquelle succède un couloir de 3,50 m de long et 3 m de large, mais seulement de 1,10 m de hauteur. La chambre est divisée en quatre

compartiments par des piliers. L'ensemble a 14 m de long,
4 m de large et 2 m de hauteur. 8 tables énormes, chacune
pesant quelque 40 tonnes, couvrent la chambre. C'est un
des plus prodigieux exemples de transport de mégalithes.

Le sang des sacrifices.

Ce sont les fées qui ont apporté ces roches dans leurs tabliers,
tout en filant la quenouille. Quand le dolmen fut terminé, les
fées en furent averties. Elles laissèrent tomber les rocs
qu'elles portaient encore, et qu'on voit toujours, épars, à
l'entour, vers Retiers et la forêt du Theil. Il pourrait s'agir
d'une sorte de temple. La dernière salle, la plus grande,
pourrait être le lieu du sacrifice, elle contient une pierre
magnifique qui a peut-être servi d'autel. Au fond du val
coulait jadis un ruisseau qui portait le nom de *ruisseau
de sang*.

ESSEY–ET–MAIZERAIS
(Meurthe-et-Moselle) 410 h. Paris 315. Toul 31.

Un saint couvert de femmes.

Quand on ouvrit la châsse de saint Gorgon, on identifia
des os appartenant à sept squelettes différents, dont plusieurs squelettes de femmes.

ESTAING
(Aveyron) 862 h. Paris 613 - Aurillac 66.

Défilé historique annuel.

Chaque année a lieu la *Fête de Saint-Fleuret,* dont on ignore
l'origine exacte. C'est une reconstitution historique un peu
fantaisiste, mais saisissante, qui groupe plus de deux cents
personnages costumés, parmi lesquels figurent les pèlerins
de Compostelle et les membres de la longue dynastie des
d'Estaing, seigneurs du lieu et vaillants soldats.

ÉTALANTE
(Côte-d'Or) 351 h. Paris 253 - Châtillon-sur-Seine 27.

Du pain pour la mangeuse d'enfants.

Au fond d'un cirque sauvage, près de la belle *source de la Coquille* que l'on peut encore admirer aujourd'hui, habitait la fée Greg, mangeuse d'enfants. On allait, en vain, lui

jeter pain et gâteau pour se la concilier, et cela jusqu'au jour où la petite fille du jardinier du château, nommée Marie, qu'on voulait lui livrer comme otage, mais qui avait voulu, auparavant, *faire sa dévotion chez le Bon Dieu*, laissa tomber dans la source bouillonnante quelques gouttes d'eau bénite dont sa robe était encore mouillée; et c'est ainsi, si l'on en croit la tradition, que fut baptisée la source de la Coquille et qu'un terme fut mis aux ravages de la fée. Marie devint une charmante jeune fille. Elle épousa plus tard Adalbert, le fils du châtelain : un sentiment de gratitude les conduisit à la Coquille où ils émiettèrent, dans la source, le *gâteau de la fée*. Et sous les pieds de l'épousée s'épanouit une coquette fleur jusque-là inconnue dans les parages : la *linaire*, aux lèvres violettes et au cœur taché d'or. De là vient qu'autrefois les jeunes mariés, pour être heureux, lançaient du pain dans la source, pain que les enfants rattrapaient avec des perches en ayant soin de les asperger.

ÉTEIGNIÈRES
(Ardennes) 534 h. Paris 234 - Mézières 47.

Un homme enfermé avec un trésor.
Au lieu dit *La Roche*, près des ruines d'un château fort rasé au XVIIe siècle sur l'ordre de Turenne, un bloc de pierre recouvre un trésor. On entend, la nuit, pleurer un prisonnier qui essaie de sortir du souterrain où une chèvre d'or le garde. Cette chèvre s'échappe parfois, vers minuit, et se promène dans la forêt jusqu'à l'aube.

ÉTRETAT
(Seine-Maritime) 1 876 h. Paris 226 - Le Havre 28.

La bénédiction de la mer.
Tous les ans, le jour de l'Ascension, le clergé bénit la mer et lui commande de respecter les limites qui lui furent fixées par le Créateur.

Rapt dans une grotte.
Au sommet de la falaise d'Aval, sur la crête, un sentier pratiqué au-dessus de l'abîme aboutit à une petite grotte creusée dans l'aiguille : la *chambre des Demoiselles*. Celle-ci devrait son nom à un crime commis par l'un des anciens seigneurs d'Étretat, le chevalier de Préfossé ; ayant aperçu, au sortir de la messe, trois sœurs aussi jeunes que jolies, il les aurait fait arrêter et conduire à son château. Devant la résistance des prisonnières, le chevalier les aurait fait enfermer dans un tonneau garni de clous, puis précipiter du haut de la

falaise sur les rochers, où les pêcheurs d'Étretat croient,
parfois, entendre leurs fantômes chanter des hymnes.

Environs

Les fées empêchent d'entrer.
Au pied des falaises, à droite de la Porte d'Aval, s'ouvre
le *Trou-à-l'Homme*. Les fées qui habitent cette immense
caverne sablée interdisent qu'on l'explore jusqu'au fond;
nul ne s'est risqué dans les galeries, qui s'enfoncent très
loin dans la roche.

EU
(Seine-Maritime) 6 343 h. Paris 170 - Rouen 86.

Un rocher marqué par saint Laurent.
A quelque distance de la chapelle Saint-Laurent, on distingue,
sur un rocher, l'empreinte d'un pied. Saint Laurent, évêque
de Dublin, s'arrêta là pour interroger des bergers et cette
trace dans la pierre perpétue le souvenir de son passage.

ÉVAUX-LES-BAINS
(Creuse) 1 919 h. Paris 342 - Aubusson 44.

Une piscine pour nymphes.
Les *thermes romains*, abandonnés pendant plusieurs siècles,
puis remis en état au XIXe siècle, subsistent en partie. Ils
étaient dédiés aux nymphes, et à un dieu marin dont on
a retrouvé de nombreuses représentations; mais on ignore
son nom.

Pèlerinage payant.
Au confluent de la Tardes et du Cher, deux chapelles se
dressent face à face. L'une est dédiée à saint Marien. L'autre,
dédiée à sainte Radegonde, est l'ancienne église paroissiale
d'un village aujourd'hui disparu. La chapelle, et le très
vieux cimetière de l'ancien village, sont le but d'une procession. La confrérie met aux enchères, en faveur des pauvres,
l'honneur d'être porte-croix, porte-bannière, ou porte-ruban.
C'est la coutume des *reinages* ; on la retrouve en plusieurs
endroits d'Auvergne et du Dauphiné.

ÉVREUX

(Eure) 23 647 h. Paris 106 - Vernon 31.

Les moines jouent aux quilles dans l'église.

La *Procession noire*, célébrée jusqu'à la Révolution, comportait des cérémonies étranges qui se déroulaient le 1er mai de chaque année. Le Chapitre d'Évreux allait dans le bois de l'évêque couper des rameaux pour en parer les images des saints, dans les chapelles de la cathédrale. Le cortège comprenait les clercs, les enfants de chœur, les chapelains, les vicaires et les bedeaux, qui sortaient de la cathédrale deux par deux, chacun tenant une serpe à la main. Au retour, ils jetaient du son dans les yeux des passants, les faisaient danser ou sauter par-dessus un balai; ils portaient des masques bizarres. Les clercs chassaient les chanoines des stalles et des chaires. L'office entier, du 28 avril au 1er mai, était célébré par les enfants de chœur. Pendant les intervalles des offices, les chanoines jouaient aux quilles sous les voûtes de l'église, donnaient des concerts et des représentations théâtrales et, selon les vieilles chroniques, « faisaient toutes sortes de folies, comme aux fêtes de Noël et de la Circoncision. » Le nom de Procession noire vient du costume ecclésiastique que portaient les participants, mais on peut penser qu'il s'agissait plutôt d'une Procession verte, que l'on retrouve, en certaines régions, associée à des fêtes burlesques d'origine païenne.

On voit la corne du diable.

Saint Taurin, premier évêque d'Évreux (première moitié du IVe siècle) se trouva, un jour, en présence du diable; celui-ci revêtit successivement l'apparence d'un ours, d'un lion et d'un buffle, transformations qui n'abusèrent pas le saint homme. Au buffle démoniaque, Taurin arracha une corne qui fut conservée à l'abbaye de Saint-Taurin d'Évreux jusqu'à la Révolution. Quand on approchait l'oreille de l'orifice de la corne, on entendait la voix du Démon qui suppliait : « Taurin, rends-moi ma corne. »
Satan ne veut cependant pas s'avouer vaincu et, trois jours plus tard, il fait périr, dans d'affreuses brûlures, Euphrasis, fille de Lucius, qui avait recueilli Taurin. Celui-ci la ressuscite et son corps est indemne de toute trace de flamme; ce prodige convertit cent vingt hommes, qui se font immé-

diatement baptiser. Taurin profite de l'enthousiasme de
la foule et l'invite à se rendre au temple de Diane pour y
briser les idoles. Satan les y a devancés. Taurin le somme de
se montrer. Et voici qu'apparut un Éthiopien, noir comme
la suie, portant une longue barbe et vomissant des étincelles.
Il se dressa devant eux et dit au bienheureux Taurin :
« Quand tu es arrivé ici, j'ai pensé pouvoir te vaincre et
te faire périr, mais maintenant tu m'as vaincu ; je te supplie
de m'épargner. » Un ange de Dieu survint, éclatant comme
le soleil ; à la vue de tous, il le fit sortir du temple, les mains
liées derrière le dos.

ÉVRON
(Mayenne) 3 461 h. Paris 251 - Le Mans 55.

Le lait de la Vierge.
L'église fut fondée au VIIᵉ siècle par saint Hardouin, évêque
du Mans, à la demande des villageois qui avaient été témoins
d'un miracle : un pèlerin rapportait de Jérusalem quelques
gouttes de lait de la sainte Vierge dans une fiole. Il s'arrêta

pour sa halte nocturne, attacha son sac à une branche
d'aubépine, et s'endormit. Le lendemain matin, l'arbre
avait grandi, et le pèlerin ne pouvait plus atteindre la
branche. Il essaya d'abattre l'arbre, mais la cognée ne put
entailler le tronc qui grossissait sans cesse. En ce lieu, Hardouin fit construire Notre-Dame-de-l'Épine.

EYGALIÈRES

(Bouches-du-Rhône) 1 033 h. Paris 713 - Avignon 38.

Les voleurs de cloches.

En dehors du village, sur la colline dénudée, s'élève la merveilleuse chapelle Saint-Sixte. Elle date du XIIᵉ siècle. Elle
est abandonnée; un ange, sur le toit, regarde d'où vient le
vent; il sert de girouette. Un ermite logeait là, jadis. Un
soir d'orage, on lui vola sa cloche.

Une source jaillie au néolithique.

À l'âge des cavernes, une source jaillit ici, que divinisèrent les hommes du néolithique. Dès le XIIIe siècle, un *roumavage*, ou pèlerinage chrétien, n'a cessé de l'honorer le jour de Pâques. L'ancien culte de l'eau était déjà si bien implanté qu'une stèle païenne découverte en ce lieu et dédiée à la déesse-mère, servit longtemps de bénitier aux fidèles.

Une sirène chante.

Au *Mas de la Brune*, une sirène chante et joue du luth. Elle dit aussi, en une inscription proche : « Mortel — vivant — pense et croy que ta fin sera enfer ou paradis sans fin. »

EYGLIERS
(Hautes-Alpes) 371 h. Paris 738 - Briançon 28.

La main du saint s'est envolée.

Au XIIe siècle, le lendemain des funérailles de saint Guillaume, les religieux virent, en sortant de leur chapelle, une main s'élever au-dessus de sa tombe : c'était sa main droite, celle qui lui manquait à sa naissance et qui lui avait été remplacée par un ange. Ils se contentèrent de la recouvrir. Le jour suivant, le même prodige eut lieu. Ils firent de même et, de nouveau, le troisième jour, le miracle se reproduisit. Ils consultèrent l'évêque d'Embrun qui leur ordonna de couper la main, de la conserver et de la transmettre à leurs successeurs comme une relique. Cette main opéra plusieurs miracles.

Un pèlerinage se déroule tous les ans, le lundi de Pâques, à la *chapelle Saint-Guillaume*, au pied du mont Dauphin.

EYGUIANS
(Hautes-Alpes) 205 h. Paris 742 - Gap 52.

Des flammes dans la montagne.

Au sommet de la montagne qui couronne les communes d'Eyguians et de Lazer se trouve une grande excavation en forme d'entonnoir. C'est le *Trou de Brame-Bœuf*. Quand le vent souffle avec violence, on entend un bruit venant de cette embouchure. On a longtemps assuré qu'il en sortait des flammes.

EYNE
(Pyrénées-Orientales) 76 h. Paris 877 - Font-Romeu 20.

Des fées anticléricales.

Pour loger une Vierge noire du XIIIᵉ siècle, on construisit jadis une chapelle. Alors, les fées qui habitaient le village allèrent se réfugier dans les grottes de la vallée.

FAILLY
(Moselle) 169 h. Paris 320 - Metz 9.

Le jeu du bâton.
Les farces et les réjouissances du carnaval étaient à Failly
d'une extrême grossièreté. Le *Keulo*, chef de jeu, armé d'une
perche où pendait un chiffon imbibé de matières répugnantes,
poursuivait les passants dans les rues pour les barbouiller.
Il importunait les récalcitrants jusque dans les maisons.
Le barbouillage portait bonheur. Les filles ainsi *keulées*
étaient assurées de se marier dans l'année.

Des mortes qui allaitent.
On entourait la tombe des femmes mortes en couches d'un
long fil tendu entre quatre piquets. Le fil était renouvelé,
s'il se rompait, durant quarante jours : le temps, pour les
disparues, de revenir allaiter leurs enfants. Cette coutume
tomba en désuétude.

FALAISE
(Calvados) 5 715 h. Paris 218 - Caen 34.

Le zèle religieux d'un possédé.
Le duc de Normandie, après quarante ans de mariage,
n'avait pas d'enfant. Il le reprochait si cruellement à sa

femme qu'un jour, indignée, celle-ci s'écria :

> *Si j'ai de vous un enfant,*
> *Au diable soit-il donné.*

Le diable entendit ce souhait et, quelque temps après,
naissait Robert, qui dès son plus jeune âge fit la preuve de
ses mauvaises dispositions. Enfant, il tyrannisait avec
cruauté ses camarades; jeune homme, il quitta le château
de son père, se fit chef de brigands, pilla et tua les voyageurs,
brûla les monastères, et égorgea lui-même sept ermites près
de son repaire au fond des bois. Un jour, il décida de revoir
sa mère : elle voulut le fuir; il la retint et lui demanda pardon.
Elle lui révéla qu'il était endiablé. « Soit, répliqua Robert,
je vais partir pour Rome demander l'absolution du pape. »
Et, afin de prouver sa conversion, il assomma, avant de
partir, tous ses compagnons d'infamie.

A Rome, le pape entendit avec horreur le récit des crimes de
Robert le Diable et l'envoya se confesser à un saint ermite.
Celui-ci lui imposa comme pénitence de contrefaire le fou
muet et de disputer, à quatre pattes, leur nourriture aux
chiens. L'orgueilleux Robert obéit et il devint un objet de
dérision; dans les rues de Rome, les enfants lui jetaient de
vieux souliers. Sur ces entrefaites, les Sarrasins attaquèrent

Rome. Robert vit alors apparaître un ange portant une grande armure de chevalier, blanche comme l'argent et les étoiles, invulnérable et parfaite. L'envoyé du Ciel lui enjoignit de courir sus aux mécréants. Robert le Diable bondit dans la mêlée et tua, selon la légende, quarante mille Sarrasins. L'armée chrétienne l'acclama; l'empereur demanda à voir le héros, le sauveur de Rome. Mais Robert le Diable avait déjà disparu. Tout le monde se demanda quel était ce mystérieux et invincible *chevalier blanc* qui faisait revivre les exploits des preux. Enfin ce roman d'aventures, selon les lois du genre, s'acheva par le mariage de Robert le Diable avec la fille de l'empereur; union bénie par le vieil ermite et acclamée par toute la cour de Rome.

La chambre où naquit Guillaume le Conquérant.

Édifié sur des fondations de grès quartzeux, le château de Falaise a conservé son enceinte du XIIIᵉ siècle, ses douze tours et ses deux portes. Dans les murs du grand donjon, épais de 3,50 m on peut voir une chapelle et une petite chambre, où la jeune Arlette, fille d'un pelletier, donna le jour à Guillaume le Conquérant. On montre encore la fenêtre où Arlette fut distinguée de ses compagnes par Robert le Diable. Dans la chapelle, une plaque de bronze porte les noms des chevaliers et des seigneurs qui accompagnèrent Guillaume lors de son débarquement en Angleterre et à la bataille d'Hastings (1066).

Environs
La reine des squelettes.

Entre Vicques et Vicquette, sur un gué de la Dive, signalons le *pont Angot*, lieu de rassemblement de créatures fantastiques nocturnes : squelettes de revenants, lutins, chats de sorcières, hiboux des ruines. La reine de cette assemblée infernale est une *dame blanche* qui, d'ordinaire, est assise à l'entrée du pont. Parfois, elle fait sa lessive, à la lueur des étoiles. Si le voyageur ne la supplie pas à genoux de le laisser passer, la fée s'irrite et abandonne le malheureux aux assauts des monstres qu'elle commande.

Un trésor bruyant.

Autour de la *Pierre Ronde*, les fantômes mènent, la nuit, un tel sabbat que nul n'a osé entreprendre des fouilles pour atteindre le trésor qu'elle recouvre.

FAMECHON

(Somme) 196 h. Paris 123 - Amiens 33.

Une soirée dansante chez les fées.

Trois jeunes hommes revenaient de la fête de Croixrault. Ils aperçurent dans la vallée des Saules, en plein bois, trois dames blanches qui les invitèrent à danser. Chaque fée prit un cavalier. Toute la nuit, ils dansèrent et s'aimèrent. Au chant du coq, pour remercier leurs galants, les fées leur accordèrent la réalisation d'un souhait et disparurent.

FATOUVILLE–GRESTAIN

(Eure) 426 h. Paris 194 - Pont-Audemer 20.

La Seine a détourné son cours.

Une des plus curieuses légendes normandes a trait au *bon-homme de Fatouville*. Sur la côte, un arbre se distingue de tous les autres par sa forme extraordinaire. L'une de ses branches, étendue comme un long bras, semble indiquer un point éloigné. Les autres composent, avec leur feuillage, une sorte de chapeau de matelot posé sur une tête. C'est un pommier.

On raconte à ce sujet que la Seine, il y a deux siècles environ, aurait détourné son cours. Pendant plusieurs années, le courant se serait porté vers la rive gauche, au lieu de se diriger vers la rive droite. L'embarras des marins et des pilotes, obligés d'étudier le nouveau lit du fleuve afin de ne pas aller échouer sur les bancs de sable, fut tel qu'un vieux pilote, qui ne pouvait plus tenir le gouvernail, mais qui avait rapidement compris la nouvelle topographie, décida de servir de sémaphore vivant. Tous les jours, dès l'aube, depuis la rive, joignant le geste aux cris, il indiquait aux navigateurs les passages dangereux. La mort proche, le vieux nautonnier pria Dieu de lui désigner un successeur. A peine eût-il formulé son vœu que le bâton sur lequel il s'appuyait s'enfonça dans le sol, prit des racines, grandit subitement, porta des fruits et des feuilles, en imitant la propre forme du vieillard. Chaque année, les habitants de Fatouville et des communes voisines se cotisaient pour l'entretien de ce pommier miraculeux.

Environs
La peau saine.
La chapelle de Carbec, restaurée en 1925, est construite non loin des ruines d'une abbaye bénédictine (à Grestain). A proximité, les fontaines de Saint-Chéron et de Saint-Méen sont des buts de pèlerinage; on venait y chercher la guérison des maladies de peau.

FAVERNEY
(Haute-Saône) 1 257 h. Paris 383 - Vesoul 21.

Lévitation d'un ostensoir.

Il y eut à Faverney, en 1608, un miracle. Des hosties avaient été exposées dans l'église pour la Pentecôte. Le feu s'y déclara. Le reposoir fut détruit. Seul demeura intact l'ostensoir, suspendu dans le vide. Une plaque, à gauche de l'entrée du chœur de l'église, commémore le prodige. Une des hosties miraculeuses aurait été transportée à Notre-Dame de Dôle.

FAVEROLLES–SUR–CHER
(Loir-et-Cher) 835 h. Paris 207 - Blois 35.

Les deniers de saint Gilles.

Un pèlerinage a lieu, le dimanche de septembre, dans les ruines de l'abbaye d'Aigues-Vives. Les pèlerins vont en procession à la *fontaine Saint-Gilles*. Ils invoquent le saint pour lui demander la guérison des maladies infantiles, en particulier des convulsions. Pour appeler saint Gilles à son secours, il suffit « de mettre, là où on se trouve, trois sous sur une route, dans la direction d'Aigues-Vives, avec la promesse de faire le voyage. »

FÉCAMP
(Seine-Maritime) 18 120 h. Paris 209 - Étretat 17.

Les mystères du Précieux-Sang.

Avant le développement du pèlerinage du Mont Saint-Michel, Fécamp fut le plus important lieu sacré de Normandie. Chaque année on y montrait la célèbre relique du Précieux-Sang, à laquelle, le mardi et le jeudi suivant la fête de la Trinité, de nombreux pèlerins viennent encore demander aide et protection. Elle repose dans le tabernacle de marbre blanc d'une chapelle de l'église de la Trinité ou de l'Abbaye, l'un des plus remarquables édifices gothiques normands. Selon la tradition, le sanctuaire aurait été consacré au Xe siècle par un ange-pèlerin qui, en 943, aurait ordonné de le dédier à l'*Indivisible Trinité*. Apparu mystérieusement dans l'assemblée des évêques qui délibéraient sur le patronage à donner à cet édifice, l'ange-pèlerin aurait disparu dans une nuée lumineuse en laissant l'empreinte de son pied sur une pierre qui a été conservée en témoignage de ce miracle, dans la chapelle de la Dormition.

On peut encore voir, à droite du n° 12 de la rue de l'Aumône, une fontaine construite sur l'emplacement où, apporté par les flots, aurait échoué un tronc de figuier dans lequel une boîte de plomb contenait des gouttes du sang de Jésus-Christ, recueillies à sa mort par l'un de ses disciples, Joseph d'Arimathie.

Célébrée par les ménestrels et les trouvères normands, l'ancienne abbaye de la Trinité était nommée la *Porte du Ciel*. Cette expression atteste, comme la légende précédente, que le mystère du Précieux-Sang appartient au cycle du Graal, c'est-à-dire à l'ésotérisme des mystères de la Chevalerie chrétienne. Le figuier symbolique se relie d'ailleurs à une tradition archaïque indo-européenne, celle de l'*Arbre de Vie* qui, dans le *Bhâgavata Purânâ*, est décrite en des termes analogues à ceux du texte de *La Continuation du Graal* de Gautier de Doulens. Quant à cette singulière embarcation qui apporta à Fécamp la précieuse relique, on peut la rapprocher de la *Nef de Salomon*, faite avec le bois paradisiaque, arbre du fruit défendu qui, selon une tradition apocryphe très répandue, serait devenu, racheté par le sang du Christ, l'arbre même de la Croix. Le figuier semble être ici l'image de la seconde naissance grâce à laquelle le fidèle passe de la vie *terrienne* au port *célestiel* du royaume de *Promission*. Le

mythe de cette nef miraculeuse, construite par le bâtisseur
du premier temple au Très-Haut, assure une liaison essen-
tielle entre l'ancêtre biblique et le héros messianique. C'est
à bord de la *Nef de Salomon* que les héros du Graal contem-
plent, sans les comprendre, les mystères de la Transsubstan-
tiation. Ces thèmes symboliques des deux natures et des
deux naissances ont été souvent représentés par l'iconographie médiévale sous la forme de créatures imaginaires,
apparemment monstrueuses, mais qui, en fait, évoquent
deux éléments de la cosmologie traditionnelle. Tel est,
notamment, le cas des *Sirènes-Oiseaux*, images de l'eau et
de l'air, qui décorent un chapiteau du chœur de l'église de
la Trinité.

Un moine invente une liqueur bénie.

En 1510, par la distillation de certaines plantes dont la
nature, la préparation et les proportions restent encore
cachées par un secret de fabrication, le moine Vincelli
découvrit une liqueur qui est aujourd'hui connue dans le
monde entier : la *Bénédictine*.
Dans le musée qui porte ce nom, des vestiges de l'ancienne
abbaye et de nombreux documents sont encore conservés
et remarquablement présentés aux touristes.

FÉCHAIN
(Nord) 1 295 h. Paris 181 - Douai 18.

Une pierre contre la pluie.

Sur la route d'Aubigny au Bac, la chapelle de l'Ermitage
aurait le pouvoir de diviser les orages. Lorsqu'ils se lèvent
de ce côté, ils se partagent en deux et épargnent Féchain.
Sans doute la chapelle tire-t-elle son étrange pouvoir d'une
pierre aujourd'hui disparue et que l'on nommait la *Borne
tonnante*. Elle se trouvait sur le talus de la route et rendait,
dit-on, le même service. On pouvait entendre, en collant
l'oreille contre la pierre, une revenante.

FÈRE–EN–TARDENOIS
(Aisne) 2 250 h. Paris 112 - Soissons 26.

Le grès qui va boire.

Les pierres insolites ou légendaires abondent dans les environs. Le *grès-qui-va-boire* émerge du sol au sortir de Fère, le long de la route de Reims. On l'appelle ainsi parce que son ombre, suivant avec le soir la pente qui descend vers la rivière, paraît s'efforcer d'atteindre le cours de l'Ourcq. On trouve dans de vieux actes notariés la mention : *Fait et passé près du grès qui va boire*. Une certaine tradition assimile cette pierre à un autel où les druides immolaient leurs victimes. On se rendait autrefois près de cette pierre pour obtenir la guérison des engelures.

Environs
L'empreinte du dieu.

La *pierre de Courmont* veillait sur les sources de l'Ourcq et portait, profondément gravée sur l'une de ses faces, l'empreinte d'une patte d'ours. Elle passait, à cause de sa teinte noirâtre, pour maléfique. On raconte que quatre habitants de Ronchères, armés de madriers et aidés de deux chevaux vigoureux, tentèrent de l'enlever de la fontaine. Ils réussirent, au prix de grands efforts, à la hisser dans une charrette. Là ils durent renoncer à faire avancer la voiture. Un effroi soudain et irrésistible les poussa à décharger la pierre. L'étrange pouvoir du rocher dut néanmoins décroître car, quelque temps après, un paysan la fit enlever et placer dans l'encoignure d'un bâtiment qu'il faisait construire.

Un marché conclu avec le diable.

Entre Coincy et Tardenois, un amoncellement de rochers porte le nom évocateur de *Hottie du Diable*. Lors de la construction de l'abbaye de Val Chrétien, les moines manquèrent de pierres à bâtir. Le diable vint leur proposer ces pierres en échange de l'âme du premier moine qui passerait la rivière. Satan avait livré son matériau et attendait l'âme promise. Le voyant s'impatienter, le père abbé lâcha un porc qui alla se jeter dans les jambes du diable. Furieux, celui-ci rechargea les pierres sur son dos. Succombant sous le poids, il les abandonna là où elles se trouvent encore. L'une de ces pierres porte le nom du *Geyn*, c'est-à-dire du *géant*. Elle aurait inspiré à Paul Claudel le décor du pays de Chevoche, où se déroule certaines scènes de *La Jeune Fille Violaine*.

FERRIÈRE–DE–FLÉE (La)
(Maine-et-Loire) 592 h. Paris 323 - Segré 5.

Les fées architectes.

Cette localité possède deux dolmens : la *Pierre-couverte*, et la *Putifaie*. Ce dernier aurait été construit par des fées qui avaient pris la forme de taupes. Il aurait servi, sous les Gaulois, à des sacrifices humains; une pierre creusée en forme de cuvette et qui se trouve à côté, recevait le sang des victimes.

FERRIÈRES–SUR–SICHON
(Allier) 1 026 h. Paris 369 - Vichy 26.

La fontaine guérisseuse.

A la *fontaine Saint-Martin* on baignait les enfants chétifs et fiévreux.

Des fées malfaisantes.

La *Pierre-encise* est un lieu-dit habité par les fées. Celles-ci avaient décidé de noyer les habitants de Ferrières en barrant le cours du Sichon à l'aide de gros rochers, parmi lesquels le *Roc Vincent*. Sous l'un d'eux, une fée maladroite est ensevelie. La construction d'une petite chapelle les a fait fuir.

Un monstre dans les rochers.

Au sommet des *Bois noirs*, les rochers ont des formes fantastiques. Ils abritaient un monstre qu'un templier de Lachaux réussit à vaincre.

FERTÉ–ALAIS (La)
(Seine-et-Oise) 1 175 h. Paris 47 - Étampes 17.

L'ogre sarrasin.

Une excavation sous roche, dite le *Trou du Sarrasin*, fut le repaire d'un vampire qui égorgeait les enfants. C'était un prisonnier ramené de Palestine au temps des croisades. Évadé, il s'était réfugié là. Il dévora plusieurs enfants.

FERTÉ–LOUPIÈRE (La)
(Yonne) 777 h. Paris 160 - Joigny 18.

Danse de morts.

L'église de La Ferté-Loupière est ornée de curieuses peintures murales (fin XVe siècle). Sur un bandeau de 25 m de long se succèdent le *Dict des trois morts et des trois vifs*, et une *danse macabre* qui comporte 42 personnages, parmi lesquels un *prédicant*, trois morts jouant de la musique, et dix-neuf couples (composés de morts et de vivants) illustrant toutes les conditions humaines. Au-dessous de ce bandeau, on peut voir un *saint Michel terrassant le dragon*.

Les monstres vivent encore.

Le *Coquatrix* ou *Coquadrille* est un des monstres du bestiaire médiéval, apparenté au crocodile. En 1929, une bête étrange pénétra dans le château de la vieille Ferté. Elle fut tuée par le marquis de Tryon-Montalembert. L'animal, *entièrement vert*, avait un corps de lézard très court et quatre pattes robustes; sa langue était bifide. Il mesurait 1 m de long et 30 cm de haut. S'agissait-il d'un croisement entre un gros lézard vert des forêts et une variété de couleuvre à collier? L'existence même du monstre semble donner du poids à la tradition qui veut que les dépouilles du *Coquatrix* aient été suspendues, autrefois, dans les églises.

FERTÉ–SAINT–SAMSON (La)
(Seine-Maritime) 527 h. Paris 118 - Rouen 47.

Environs
L'eau de Samson.
A 3,5 km dans le bois de Rouvray-Castillon, la *fontaine Saint-Samson* est un but de pèlerinage. Son eau passe pour fortifier les malades, les vieillards et les enfants.

Saint Christophe dans l'oubli.
A 2,5 km, à Lyons-la-Forêt, ancien rendez-vous de chasse des ducs de Normandie, dans l'église, sur le bas-côté droit du chœur, une remarquable sculpture sur bois du XIVe siècle représente saint Christophe. Les statues et peintures anciennes figurant ce saint sont devenues assez rares. Beaucoup furent détruites par ordre du clergé, au XVIIIe siècle, et notamment le célèbre *Saint Christophe* de Notre-Dame de Paris.

FLAGY
(Saône-et-Loire) 154 h. Paris 376 - Mâcon 35.

Thérapeutique de plein air.
Pour se guérir de coliques, il fallait, à la Saint-Jean, se mettre à cheval sur une barrière, puis se frotter le ventre avec de l'armoise; enfin, s'asseoir dans la rosée.

FLAMANVILLE
(Manche) 1 645 h. Paris 323 - Cherbourg 26.

Saint Germain contre le serpent.
Sur les falaises qui dominent la mer d'une hauteur de 100 m, on trouve la trace de plusieurs mégalithes. Le *dol-*

men du *Sémaphore*, ou *Pierre Aurée*, est difficile à dater. On a
cru y distinguer des caractères puniques. Près de Castiers, un
monolithe de 1,80 m. A la limite des Pieux et de Flamanville, une pierre de 6 mètres de circonférence. On
peut descendre au pied de la falaise par le chemin de la
Diélette, où les mines de fer ont des galeries qui se prolon-
gent sous la mer. Au-delà, près de la cabane des douaniers,
s'ouvre le *Trou Baligan*, fissure qui s'enfonce à plus de
100 m sous terre. Ce trou abrite un serpent gigantesque
qu'un saint, venu d'Irlande à bord d'une *rouelle*, transforma
en rocher ; c'est le menhir dit la *Pierre-au-serpent*, mentionné
ci-dessus. Le saint à la rouelle fut saint Germain, venu
effectivement d'Irlande à bord d'une rouelle. Cette embarcation est du type *curram*. On peut en voir un exemplaire
à Paris, au musée de la Marine. Saint Germain, parvenu sur
le continent, combattit farouchement les deux idoles celtiques : le serpent et la biche.

Une chapelle avec un bâton.

Saint Germain d'Écosse est tenu également pour le fondateur de l'église de Flamanville. Il demanda aux habitants
un terrain pour y bâtir une chapelle. Ceux-ci lui accordèrent autant de surface qu'il pourrait en délimiter, en un
jour, par un sillon. Le saint se servit de son bâton comme
charrue. Il délimita ainsi un terrain très vaste, près de la
mer. Menacée par l'avance des flots, la chapelle dut être abandonnée sous l'ancien régime. Elle fut remplacée par l'église
actuelle, dont le curieux clocher séparé est bâti sur la colline.

Pour consoler les bébés.

Dans la contrée, quand les nouveau-nés pleurent sans raison, on dit qu'ils voient la *bête Saint-Germain*. Pour les guérir de ces terreurs, on les porte à l'église et le prêtre récite
sur eux l'évangile du jour. Une croyance analogue existe à
Saint-Gilles, près de Saint-Lô.

FLERS
(Orne) 13 010 h. Paris 240 - Caen 57.

Un monastère sous les eaux.

L'étang du château se serait formé sur l'emplacement d'un
couvent englouti. Là, en expiation de ses péchés, un inconnu

avait fondé un monastère. Les moines menèrent d'abord une vie édifiante. La richesse aidant, ils s'écartèrent petit à petit de la règle monastique. Les chants religieux ne retentirent plus. Au réfectoire, des voix de femmes se mêlaient à des chœurs bachiques.

La nuit de Noël, les moines, au lieu d'aller célébrer l'office, préparèrent un repas pantagruélique. A minuit, une cloche commença d'elle-même à sonner. Après un instant de stupeur, l'un des moines s'écria : *Le Christ est né ; buvons à sa santé !* Nul n'eut le temps de boire. Le couvent, frappé par la foudre, disparut dans l'abîme. A sa place on ne retrouva qu'un étang, ses reflets sombres, ses eaux lourdes. Chaque année, pourtant, la nuit de Noël, on entend une cloche qui tinte au fond de l'eau.

Le dénouement de saint Léonard.

Autrefois, on venait en l'église Saint-Germain de Flers invoquer saint Léonard pour la guérison des enfants noués ou demeurés.

Environs
Le fauteuil du diable.

Dans le canton, à Caligny, la *Chaire-au-Diable* est un bloc de granit taillé en forme de siège. Elle dut être apportée du mont Crespin, à près de deux lieues de distance d'une cave où elle se trouvait, au hameau de la Mainguerre. Parfois, on rencontrait Satan, la nuit, assis sur cette pierre, ou bien une vieille fileuse auprès de son rouet.

FLESSELLES
(Somme) 656 h. Paris 137 - Amiens 14.

Une course entre deux saints.

Saint Eustache et saint Martin voyageaient ensemble. Ils allaient prendre possession de leurs paroisses respectives, l'un à pied, l'autre à cheval. A Flesselles, le cheval de saint Martin buta sur le grès, dit depuis le *grès de saint Martin*, et tomba. Premier arrivé, saint Eustache prit possession de la paroisse de Flesselles. Saint Martin dut poursuivre jusqu'à Naours, 4 km plus loin. Une cavité naturelle dans la pierre est la marque du sabot du cheval de saint Martin.

FLEURY–SUR–LOIRE
(Nièvre) 306 h. Paris 279 - Nevers 31.

La veuve et la vouivre.

On voyait parfois voler, du *bois des Essarts* à la butte située dans le *champ du Praillon*, en direction de la Canne (un affluent de l'Auron) une vouivre qui gardait un trésor sous cette butte. Le jour des Rameaux, une veuve puisait de l'eau à la source proche de la butte, son enfant auprès d'elle. La caverne au trésor était ouverte. A la vue de l'or, la femme entra avec l'enfant. Elle emplit d'or son tablier et sortit. La porte s'étant refermée, l'enfant, derrière elle, resta prisonnier. Sur le conseil du curé, la veuve alla chaque semaine déposer devant la roche un petit pain et une chemise blanche. Aux Rameaux de l'année suivante, la roche s'ouvrit de nouveau : elle reprit son enfant qui avait été délivré.

FOLGOÊT (Le)
(Finistère) 1 196 h. Paris 589 - Landerneau 16.

Le fou de Notre–Dame.

Une basilique, perle des églises de Bretagne, abrite une statue de pierre, celle de Notre-Dame-de-Folgoët (du *Fou des Bois*). Elle rappelle l'histoire de Salaün (forme bretonne du nom *Salomon*), un simple d'esprit qui mendiait aux environs de Lesneven et habitait, dans la forêt, un tronc d'arbre creux. Sans cesse il chantait des cantiques à la Vierge. Un

jour, on le trouva mort. Il fut enterré au pied de l'arbre.
Sur la tombe un lis fleurit, sur les feuilles duquel on lisait
en lettre d'or : *Ave Maria*. Élevée à cet endroit en 1364 et
consacrée en 1425, la basilique dresse une haute flèche.
Sous son maître-autel coule la fontaine de Salaün qui se
déverse à l'extérieur. Un pardon, célèbre dans toute la Bretagne, y a lieu le 8 septembre.

FONTAINEBLEAU
(Seine-et-Marne) 19 925 h. Paris 60 - Melun 17.

Le palais de Saturne.
Les historiens ne s'accordent pas sur le nom du fondateur de
cette résidence royale. On l'a successivement attribuée à
Robert le Pieux, à Louis VII et à Louis VI le Gros. La plupart des érudits contemporains assurent que le château fut
une résidence de chasse jusqu'à la fin du XVe siècle et qu'il
aurait été bâti peu avant 1137, près d'une fontaine appartenant à un propriétaire nommé Bland. Il reste à se demander si l'on n'a pas imité ainsi ceux qui prennent le Pirée
pour un homme, car le texte sur lequel est fondée cette
hypothèse, une charte de Louis VII, datée de 1160, porte
seulement la mention suivante : « *Apud Fontene Blandi,
in palatio nostro* », c'est-à-dire : dans notre palais ; auprès
de la Fontaine de Blaudus (ou de Blaud). Ce mot ancien est-il
un nom propre ou bien ce dernier provient-il d'un nom de
lieu, d'un lieu-dit? La seconde hypothèse est plus probable
mais que signifie alors *Blaud* ou *Blaudus*?
Que peut-il nous apprendre sur l'origine encore énigmatique de Fontainebleau? On peut y voir, d'abord, un mot
latin dérivé d'un mot grec cité par le grammairien Hésychius
qui en fait le synonyme du nom de l'eau : *Bludion* pour
Ugron. La mer a primitivement été appelée *Bludion;* puis
ce mot n'a exprimé que sa couleur, c'est-à-dire le bleu.

Faut-il rappeler quelle importance emblématique avait le bleu dans l'ancien régime? Il était interdit d'utiliser cette couleur pour les livrées. Elle demeure encore la première du drapeau national, c'est-à-dire la plus ancienne, celle qui précéda le blanc des lis de France.

On peignait souvent en bleu, sous l'ancien régime, les grilles et les portiques des résidences royales. On sait que le manteau des rois de France, le jour de leur sacre, était bleu, comme la tiare du roi des Perses. Le 10 novembre 1793, à Notre-Dame de Paris, l'actrice qui représentait la déesse Raison portait sur ses épaules un manteau bleu et était coiffée d'un bonnet phrygien. Ce dernier détail n'est pas sans quelque intérêt, car on trouve chez Cicéron le nom d'une cité phrygienne, *Blaudus*, qui est exactement celui de la fontaine de la résidence royale. Or les Galles, rameau phrygien de la race pélasgique, se nommaient eux-mêmes le peuple de Saturne, le peuple ancien par excellence, et les prêtres de cette divinité archaïque étaient vêtus de bleu, couleur qui a été pendant des siècles celle du deuil dans tout l'Orient. Les Pélasges, après avoir longtemps erré dans l'Épire, avaient consulté l'oracle de Dodone; les chênes prophétiques leur commandèrent de s'arrêter seulement lorsqu'ils auraient découvert la terre de Saturne, la *Saturnia*.

Ces indications présentent de l'importance pour l'histoire, si mal connue encore, des premiers temps de la monarchie française. Il n'est pas interdit de supposer que le massif de

Fontainebleau, bien étrange et archaïque entre tous, ait pu être choisi comme résidence royale parce qu'il représentait l'emplacement d'une terre sacrée, le souvenir de lointaines origines ethniques et peut-être le lieu de cultes païens survivant malgré l'évangélisation des Gaules. Faut-il ajouter que la première chapelle de Fontainebleau, édifiée par Louis VII, fut dédiée à saint Saturnin? Est-ce seulement par hasard que l'on a serti dans le fameux calice d'or massif de saint Rémi, objet rituel principal du sacre des rois de France, une cornaline gravée du signe de Saturne, le Capricorne?

Défense aux manants de chasser ici sous peine de mort.

Claude de Seyssel relate que, sous le règne de Louis XI, « *il estoit plus rémissible* (pardonnable) *de tuer ung homme que ung cerf ou ung sanglier.* » Les peines prévues par le code établi du temps de François 1er allaient jusqu'aux galères à la troisième récidive et, si les braconniers étaient incorrigibles, jusqu'à la pendaison. Ce fut seulement en 1791 et dans le dernier article du code pénal que fut abolie la peine du fouet pour délit de chasse.

Les rois de France étaient, comme Nemrod, de grands chasseurs devant l'Éternel. Louis XIV aimait passionnément les chiens et les chevaux. Un matin qu'il avait manqué, contre son habitude, d'assister au conseil, il improvisa, en guise d'excuse, ce quatrain :

> *Le conseil à ses yeux a beau se présenter ;*
> *Sitôt qu'il voit sa chienne, il quitte tout pour elle.*
> *Rien ne peut l'arrêter*
> *Quand la chasse l'appelle.*

Louis XV avait aussi un tel penchant pour ce plaisir que l'on disait de lui quand il ne chassait point :

> *Le roi ne fait rien aujourd'hui.*

A Fontainebleau, lors des grandes chasses, la curée s'effectuait parfois dans la cour Ovale que l'on peut encore visiter et qui occupe l'emplacement de l'ancienne cour du château dans son premier état.

La curée se faisait avec grande solennité. Érasme, dans son *Éloge de la Folie,* a raillé l'importance attachée à ses cérémonies : « Lorsqu'ils ont forcé leur animal, dit-il, quel étrange plaisir prennent-ils à le dépecer ! Les vaches et les moutons peuvent être mis en quartiers par un boucher vulgaire ; mais ce qui a été tué à la chasse ne peut être défait que par un gentilhomme qui jettera à terre son chapeau, tombera dévotement sur ses genoux et, tirant un couteau spécial, après force cérémonies, disséquera toutes les parties de la bête, aussi artistement que le plus habile anatomiste, tandis que tous les assistants le regarderont attentivement, comme ravis en admiration par la nouveauté d'un spectacle qu'ils ont vu une centaine de fois, et celui qui pourra tremper son doigt dans le sang et le portera à sa bouche, en croira son état singulièrement amélioré. »

Des cerfs miraculeux aux cerfs en rut.

Le tombeau de Clovis, dans l'église Sainte-Geneviève, portait une épitaphe du XIIe siècle. On y lisait qu'un cerf de taille gigantesque avait aidé Clovis à trouver un gué pour traverser la Vienne, au cours d'un combat. Un autre cerf, bondissant au milieu de l'armée anglaise en retraite après la levée du siège d'Orléans, en 1429, fit pousser une telle *huée* aux insulaires que les Français les entendirent et, accourant à toutes brides, menés par Jeanne d'Arc, Richemont et Dunois, taillèrent en pièces les troupes ennemies, remportant ainsi la victoire de Patay.

A l'époque du rut, les cerfs deviennent dangereux et se livrent, entre mâles, des combats terribles. Ce que rappelle Clément Marot dans ces vers :

> *Les cerfs en rut pour les biches se battent*
> *Les amoureux pour les dames combattent*
> *Un même effet engendre leurs discords*
> *Les cerfs en rut d'amour brament et crient*
> *Les amoureux gémissent pleurent et prient.*
> *Eux et les cerfs feraient de beaux accords.*

Afin d'assister à ces batailles, les rois de France et les courtisans prenaient place sur des échafauds dressés dans les forêts. En octobre 1740, Louis XV se levait encore à six heures du matin pour aller à la Haute-Plaine, dans la forêt de Fontainebleau, voir le rut des cerfs, en compagnie de mesdames de Mailly et de Vintimille.

Un loup–cervier a sauvé un condamné à mort.

A Fontainebleau, dans la galerie de Henri II, un tableau du
XVIᵉ siècle représente un guerrier cuirassé, l'épée à la
main, une arbalète en sautoir, qui combat un loup à robe
mouchetée. C'est un gentilhomme condamné à mort et qui
obtint sa grâce après avoir abattu cette bête redoutable que
Gaston Phaebus, au XIVᵉ siècle, nommait *chat-léopard*.

Les secrets de la grotte du jardin des pins.

En 1536, Jacques V, roi d'Écosse, vint en France pour demander la main de Madeleine, fille de François 1ᵉʳ. Voici ce que
dit le *Journal amoureux* de Villedieu, prêtant ces confidences
à Jacques V : « Madame Madeleine se baigna au commencement de cet été, et choisit de prendre son bain dans la
grotte que le roi a fait faire à l'appartement de la duchesse
d'Étampes. Je sais le secret de cette fausse niche, d'où, par
le moyen d'un miroir à réflexion qui est enchâssé dans la
rocaille, on peut voir les dames dans le bain... Je fis gagner
l'officier qui a soin de cette grotte ; il me plaça dans la niche
un moment avant que Madame se mît dans l'eau... Mademoiselle de Vendôme eut le privilège d'entretenir Madame
dans son bain ; et, d'abord, elle me donna mille petits plaisirs qu'elle ne pensait pas me donner...

« Mais ma situation dans la niche devint beaucoup moins
agréable, quand j'entendis la princesse dont j'étais très
amoureux, avouer à Mademoiselle de Vendôme qu'elle n'avait
pu voir avec indifférence don Juan, fils de l'empereur Charles-Quint, et que si on la mariait au roi d'Écosse, elle se
regarderait comme une victime immolée à la raison d'État. »
Aujourd'hui, la grotte a été détruite; le miroir indiscret a
disparu; cependant, certaines fresques rappellent encore les
charmes secrets de la princesse Madeleine.

Ici, Diane pleura.

On montre encore à Fontainebleau la chambre où François 1er reçut Diane de Poitiers quand elle vint demander
la grâce de son père, condamné à mort pour trahison. Un
voile noir couvrait la tête de Diane; ce nuage masquait sa
beauté. Aussi le roi refusa-t-il d'abord la faveur que l'on
implorait de sa clémence. Diane s'évanouit; François 1er
la porta sur un divan, le voile tomba, et le roi que n'avaient
désarmé ni les pleurs ni la prière, ébloui par la beauté de
Diane, pardonna.

Là, Guillaume Budé soupira.

Comblé de faveurs par François 1er, nommé maître des
requêtes et Prévôt des Marchands, le grand érudit, chargé
de réorganiser la bibliothèque de Fontainebleau, quittait avec
douleur ses livres chéris pour remplir les lourdes fonctions
dont il était accablé : « La libéralité du roi et la confiance
du peuple, disait-il en soupirant amèrement, finiront par
faire de moi un ignorant. »

L'extraordinaire équipage du cardinal de Richelieu.

En 1642, on vit arriver à Fontainebleau une machine extraordinaire, arrivée de Valence où elle avait été fabriquée.
C'était une chambre de bois recouverte de damas cramoisi,
contenant un lit, une table, une chaise, deux serviteurs et
le cardinal de Richelieu. Tombé malade à Valence et crai-
gnant les mouvements des voitures ordinaires, le ministre,
qui venait de conduire à l'échafaud ses deux dernières victimes, Cinq-Mars et de Thou, venait d'inventer le caravan-
ning pédestre. Porté par dix-huit gardes du corps, il avait

traversé la France dans cet équipage, faisant abattre sur
son chemin portes et maisons afin de lui faire place. Quelques mois plus tard, cet inventeur méconnu expirait dans
sa demeure parisienne, le Palais-Cardinal, devenu maintenant le Palais-Royal.

Dans la galerie des Cerfs, un crime de Christine de Suède.

Dans cette galerie, on peut voir encore la croisée près de
laquelle l'amant de Christine de Suède, Monaldeschi, après
une lutte sanglante contre ses bourreaux, expira. Il y avait
autrefois, en cet emplacement une pierre, une croix, une
date : 1657 et ce nom. Ce meurtre valut à Christine la répro-
bation de la cour et ce quatrain :

> *En punissant dans ta fureur*
> *Un amant indiscret qui devint ta victime*
> *Cruelle Reine! par ce crime*
> *L'un perd la vie; mais l'autre perd l'honneur.*

Les peintures interdites de la galerie de François Ier.

Anne d'Autriche, lors de son avènement à la régence, fit
brûler ou effacer les tableaux commandés par François 1er
à des artistes éminents. Sauval, qui vivait sous Louis XIII,
dit à leur propos : « On y voit des dieux, des hommes, des
femmes et des déesses qui outragent la nature et se plongent
dans les dissolutions les plus monstrueuses. » Il ajoute :
« Si l'on avait voulu brûler tout ce qui se trouvait d'abo-
minable et de dissolu, il aurait fallu réduire en cendres
presque tout Fontainebleau. »

Le grand veneur de la forêt a été entendu par Sully.

Henri IV, ayant chassé deux jours de suite sans rien prendre,
revenait à son château par la route de Mont; il entendit
sonner du cor comme si la chasse eût été bonne et que le
cerf eût été pris. Le roi, indigné de ce manque de respect,
envoya le comte de Soissons et quelques autres seigneurs
pour savoir d'où venait la fanfare. Ils aperçurent alors derrière
les broussailles épaisses un grand homme noir qui leur dit,
en levant un visage hideux : « M'entendez-vous ? » ou, selon

d'autres, « Qu'attendez-vous ? » ou, selon certains : « Amen-
dez-vous ! » Saisis de frayeur, les chasseurs virent ce spectre
s'évanouir soudain sous leurs yeux. Le roi s'informa auprès
des bûcherons pour savoir s'ils avaient vu, eux aussi, ce
fantôme, et entendu de tels bruits. Les forestiers répondirent
que, souvent, un homme noir, menant son équipage de
chasse, passait en sonnant du cor. On l'appelait le *grand
veneur*. On ajoute que le duc de Sully, étant en son cabinet
au pavillon du grand jardin du château, entendit un soir
le bruit très proche d'un équipage. Il s'habilla et, croyant
que le roi était de retour, vint le voir en ses appartements.
Mais ces chasseurs n'étaient pas ceux que Sully attendait.
Ces meutes et ce cor avaient signalé seulement la course
nocturne du grand cavalier fantôme.

Des amants venus d'un autre monde.

D'autres spectres hantent encore la forêt. Non seulement
celui d'une Anglaise, J. Keller, assassinée en 1937, par un
Allemand du nom de Weidmann, et enterrée par le meurtrier
dans la *grotte des Brigands*, mais aussi un cavalier et une
amazone assis sur de superbes chevaux blancs. On les voit
passer, comme en un éclair, à travers les taillis, l'un près de
l'autre, se donnant, dans leur course aérienne, des marques
de tendresse et des baisers. On assure que ces amoureux
apparaissent surtout aux yeux des jeunes gens ; leur aspect,
dit-on, donne de l'amour à ceux qui n'en ont point.

FONTAINE–DE–VAUCLUSE
(Vaucluse) 755 h. Paris 723 - Avignon 29.

Un mort qui boit.

Au lieu dit *Moulin de Saint-Marcel*, ancienne abbaye de ce
nom, des ouvriers, qui creusaient le sol d'une des cours inté-
rieures, mirent au jour des tombeaux. Dans l'un d'eux, un
squelette de grande taille avait auprès de lui une fiole en
verre, bouchée de résine. Au fond de la fiole, il y avait une
sorte de mastic fort dur, que les hommes eurent l'idée de
mettre à tremper. Ils obtinrent ainsi un vin appréciable.

Le dais volant.

Saint Véran, évêque de Cavaillon, se réfugia au bord du
torrent pour y passer une vie recluse. Il y combattit un

animal fabuleux, sorte de reptile aquatique, ou le dernier
lynx tué au sud du Ventoux. Il fonda par la suite une communauté de moines. Celle-ci s'installa dans les grottes voisines.
A la mort de saint Véran, des miracles attestèrent sa béa-
titude : le dais du cortège funèbre se dirigea de lui-même
vers l'église de Vaucluse, et la Sorgue suspendit son cours
pour que les fidèles puissent la traverser à pied sec. On peut
voir le tombeau du saint dans l'église, à gauche de la nef.
C'est un grand monolithe de 2 m de long, couvert d'une
dalle épaisse.

La maison de Pétrarque.
Le poète se retira sur les bords de la Sorgue chez son ami
Philippe de Cabassol, évêque de Cavaillon. Il y acheta une
maison et deux jardins. La maison n'existe plus ; un musée
conserve objets et vestiges.

FONTAINE-GUÉRIN
(Maine-et-Loire) 750 h. Paris 286 - Angers 37.

Les compagnons du fou.
Ici, saint Julien a la réputation de guérir la folie. Le malade,
accompagné de neuf personnes de son sexe, doit être conduit

à pied dans l'église de Fontaine-Guérin avant la première messe. Ceux qui accompagnent le malade sont tenus de garder, pendant le trajet et la cérémonie, le plus complet silence.

FONTAINE–LA–SORET
(Eure) 524 h. Paris 136 - Évreux 36.

Le fer à cheval pour saint Éloi.

La chapelle Saint-Éloi est un lieu de pèlerinage pour malades atteints d'eczéma. En ex-voto, les pèlerins guéris déposent aux pieds de la statue des fers à cheval, neufs ou usés.

FONTAINES–SUR–MARNE
(Haute-Marne) 235 h. Paris 230 - Saint-Dizier 20.

Écrit sur la pierre.

Dans un champ se dresse une pierre appelée *Haute-Borne*. Sorte de menhir haut de plus de 6 m au-dessus du sol, cette pierre plate est placée sur le bord d'une ancienne chaussée dont la tradition attribue la construction aux Romains. Elle porte, à peu près à la moitié de sa hauteur, une inscription latine dont il ne reste de lisible que ces mots : *Viromanus Statili filius.* La Haute-Borne est voisine de ruines considérables dites *le Châtelet.*

FONTENAY–LE–COMTE
(Vendée) 9 550 h. Paris 407 - La Rochelle 49.

La folie, la sagesse et les vierges.

L'église Notre-Dame (xve-xvie siècle) : la voussure du portail nord est ornée de statues : vierges folles et vierges sages. Devant la *bûche de Noël,* bénie avec solennité, on chante les cantiques de la Nativité ; un vieil air célèbre *au gui l'an neuf* la nuit de la Saint-Sylvestre ; de ferme en ferme, les garçons vont quêtant et chantant.

FONTENAY–LE–MARMION
(Calvados) 704 h. Paris 234 - Caen 10.

Un tumulus entre deux âges.

Entre Fontenay et May, on voit un vaste tumulus de pierres entassées, la *Butte de la Hogue*. En 1830, il mesurait encore 7 m de haut. Son diamètre était de 50 m. Il ne reste plus aujourd'hui qu'un tas informe de blocs. Ce tumulus fut, dit-on, élevé après la bataille à la mémoire d'un César par ses soldats. Chaque homme aurait apporté des pierres dans son casque. En fait, ce tumulus date de l'âge de la pierre polie, environ 8 000 ans avant notre ère.

FONTENOY–LE–CHATEAU
(Vosges) 1 080 h. Paris 372 - Épinal 30.

Végétation miracle.

Aux *Claires Voivres*, jaillit une petite source chaude et gazeuse. Alentour la végétation est très dense. Il y pousse une plante rare : l'*osmande royale*.

FONTETTE
(Aube) 242 h. Paris 215 - Troyes 57.

Des ruches en deuil.

A la mort du maître de maison, il y a peu de temps encore, on faisait porter le deuil aux ruches qui lui avaient appartenu. Un chiffon noir était attaché à chaque ruche. On évitait ainsi aux abeilles de s'échapper ou de s'entre-tuer.

FONTEVRAULT
(Maine-et-Loire) 2 000 h. Paris 295 - Saumur 16.

Un couvent mixte.

L'abbaye de Fontevrault fut fondée vers la fin du XIe siècle par Robert d'Arbrissel. Elle réunissait en ses murs, à la suite d'un vœu du fondateur, une communauté d'hommes et une communauté de femmes placées toutes deux sous l'autorité d'une abbesse. Elle eut souvent pour abbesses des princesses de sang royal, et au temps de la guerre de Cent ans, connut la faveur des Plantagenêts : Richard Cœur de Lion y fut inhumé avec son père, Henri II Plantagenêt, et sa mère, Éléonore d'Aquitaine.

Une beauté fatale.

Un grand seigneur qui visitait l'abbaye, fut frappé par la beauté d'une des nonnes. Il fit à son entourage une remarque au sujet de ses yeux. La nonne comprit les intentions de son admirateur. Elle feignit d'accepter un rendez-vous. Elle y vint, mais les orbites vides et sanglantes, tenant à la main un plateau qui portait ses yeux : « Voilà, dit-elle, l'objet de vos désirs, prenez-les et qu'ils préservent mon honneur. »

La cuisine infernale.

La tour d'Évrault, attenante à l'abbaye, fut le repaire d'un
bandit nommé Évrault. Il terrorisait la région jusqu'à l'arrivée de Robert d'Arbrissel. Chaque nuit il plaçait une lanterne
au sommet de la tour afin d'égarer et d'attirer les voyageurs,
qu'il dépouillait et égorgeait. Il s'agit précisément de l'ancienne cuisine de l'abbaye, et la pyramide qui la surmonte
n'est autre qu'une cheminée centrale. Son aspect inquiétant
et sa couleur sombre excitèrent, du temps où les autres
bâtiments étaient neufs, l'imagination des paysans des
alentours.

FONTGOMBAULT
(Indre) 324 h. Paris 291 - Poitiers 64.

Notre–Dame–de–Bien–Mourir.

Depuis des siècles, on vient prier Notre-Dame-de-Bien-
Mourir. On la vénère aujourd'hui dans la très belle église
abbatiale, jadis enclose dans le monastère.
Partiellement détruite par les Huguenots, l'abbaye fut
vendue en 1793 comme bien national à un juge du Blanc.
Sur l'ordre qui lui fut donné, un ouvrier achevait de détruire
la construction et s'apprêtait à briser la statue. Pris de tremblements, il tomba, renversé par une force inconnue. Il
mourut de manière édifiante : on garde à la statue une dévotion particulière, et son nom singulier.

Une caverne de moines.

L'ermite Gombault se retira du monde et alla s'installer
dans les grottes de la rive gauche de la vallée de la Creuse.
Sa renommée était si grande que des disciples vinrent bientôt
occuper les cavernes voisines ; il groupa alors ses frères sous
la règle de l'Ordre de Saint-Benoît.
On voit, en prenant le chemin qui longe la rivière à droite
et après avoir passé le pont suspendu, la *grotte de Gombault*
et la fontaine qui a donné son nom au village. L'un des
premiers successeurs de Gombault, Pierre des Étoiles, construisit un monastère sur l'autre rive. La tombe de Pierre des
Étoiles fut transférée en 1954 dans la nef de l'abbatiale.

FONTVIEILLE
(Bouches-du-Rhône) 2 244 h. Paris 733 - Arles 10.

Une tour bien construite.

A la sortie de la ville, sur la route d'Arles, une exploitation privée utilise les vestiges d'une *tour de surveillance*, bâtie en 1355 par les moines de l'abbaye de Montmajour pour se prévenir contre les entreprises des seigneurs des Baux. Contre ce donjon fut accolé, au XVIe siècle, un bâtiment conventuel encore en bon état. L'oratoire Saint-Victor-Saint-Roch fut érigé après la terrible peste de 1721.

Que d'eau ! Que d'eau !

Le vallon des Arcs est traversé par deux aqueducs parallèles. Ils furent construits par les Romains et sont bien conservés. L'un d'eux bifurque vers Arles, qu'il alimentait en eau courante. L'autre coupe le sommet d'une étroite colline pour déverser ses eaux dans la gigantesque machinerie des *Moulins de Barbegal*. L'eau, ici, servait à moudre la farine de toute la région. On distingue encore très bien les deux séries de biefs et les chambres de meunerie. Ce fut la première et la plus importante des usines hydrauliques romaines. Construite vraisemblablement au IIIe siècle, elle fut abandonnée au Ve siècle.

La coquille de saint Jacques.

Sur la route des Baux, près des ruines du château du Mont-Paon, se trouve un autel votif romain orné d'une grande coquille de pecten. Les fossiles de ce coquillage sont nombreux dans la région. Les pèlerins de Saint-Jacques-de-Compostelle, dont une des routes passait ici, avec Mont-majour comme relais, s'arrêtaient dans cette carrière où cette coquille symbolisait leur quête incessante. Avant d'être l'emblème de saint Jacques, le pecten fut d'abord celui de Vénus.

Les grottes de Cordes.

Dans la direction d'Arles, on passe la colline de Cordes. Elle est célèbre par ses remarquables hypogées funéraires. Jadis les Sarrasins y campaient et, en souvenir de leur ville de Cordoue, ils donnèrent à ce site privilégié le nom de Cordes. La tradition atteste la présence d'une Mélusine provençale : la *Couleuvre-Fée*, et de la *Chèvre d'Or*, qui per-

met de découvrir les trésors. La grotte de Cordes porte le
nom de *Trau-di-Fado*, ou *Trou des Fées*, comme celle des
Baux. La légende veut que ces deux excavations communiquent par un long et sinueux souterrain, inaccessible aux
hommes.

Les grottes de Cordes sont d'authentiques hypogées, c'est-à-
dire des salles souterraines, creusées dans la colline, pour
assurer les cultes funéraires. On les connaît sous le nom
d'allées couvertes, ou dolmens de Bounias, de la Source,
d'Arnaud et de Coutignargues.

Celle dite du Castellet, à droite de la route Fontvieille-Arles,
a 18 m de long. Celles de Bounias et de la Source sont entourées d'une rigole creusée de main d'homme et délimitant les
anciens tumulus, aujourd'hui effacés.

L'hypogée de Coutignargues a révélé un énorme menhir qui
présente une rainure transversale lui donnant un caractère
phallique. Tout autour, on trouve, gravés à même le sol
rocheux, de nombreux signes, cupules, rouelles, fers à cheval,
rappelant les mythes solaires ou l'érotisme des premiers
âges.

FORCALQUIER
(Basses-Alpes) 2 609 h. Paris 767 - Digne 48.

La protection des vers à soie.
Jadis, au quartier Saint-Marc, avaient lieu les processions de
bénédiction des vers à soie; les femmes apportaient les vers
dans de petites boîtes perforées; elles les remportaient, au
chaud, entre leurs seins.

Bories dans un cimetière.
Le cimetière est curieusement agrémenté de *bories*, ces cons-
tructions en pierre sèche qui depuis les temps celtiques ont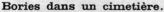
abrité les hommes de la région.

FORÊT–AUVRAY (La)
(Orne) 349 h. Paris 236 - Flers 20.

La loi du silence.
Les Vassy, seigneurs du lieu, étaient alliés à la famille
d'Argouge. Le seigneur de la Forêt-Auvray était tombé

amoureux de la *fée du Bohain*, qu'il avait un jour aperçue
assise au bord de la rivière. Elle consentit à l'épouser, à
condition qu'il ne prononçât jamais le mot *mort*. Leur union
fut heureuse. Un matin qu'elle s'attardait à sa toilette :
« Madame, quelle lenteur ! » lui dit-il, vous seriez bonne à aller

quérir la mort ! » La fée aussitôt disparut. On ne vit plus
que la trace de sa main sur le bord de la fenêtre. Elle avait
apporté de grandes richesses à son époux qui, désespéré,
les enfouit, pour les soustraire à ses héritiers. On retrouve
cette légende dans plusieurs autres localités voisines.

FOS–SUR–MER
(Bouches-du-Rhône) 2 349 h. Paris 775 - Marseille 49.

Les maisons sous la mer.

La ville doit son nom aux *Fosses Mariennes*. Ces fosses,
gigantesque canal, furent creusées par Marius entre l'étang
de Galejon et le Grand-Passon sur le grand-Rhône. C'était,
pour les Romains, un relais maritime important.
L'antique Fos est aujourd'hui engloutie. La légende fait
état de ruines : des maisons seraient visibles sous la mer.
On a trouvé des cornes d'animaux, gravées ou sculptées,
clouées sur les façades des maisons. Elles servaient de talismans.
Tous les objets provenant des fouilles se trouvent réunis,
provisoirement, au musée du Vieil-Istres.

FOUGÈRES
(Ille-et-Villaine) 23 151 h. Paris 300 - Rennes 47.

Le perroquet ou Balzac inspiré.

A l'angle du jardin public, ou *Place aux Arbres*, la *tour*
carrée de Papegaud (perroquet, XIVe siècle) dont Balzac
s'inspira pour la fin de son roman « Les Chouans ». Dans
l'église Saint-Sulpice, fondée au XIe siècle, deux curieuses
gargouilles; et, à droite de la porte du flanc sud, une image
de la fée Mélusine se peignant. Cet emblème rappelle que
Fougères appartint, à partir de 1256, aux Lusignan. Dans la
cour intérieure du château de Fougères, dont les courtines
comptent treize tours, des fouilles récentes ont dégagé
sept colonnes monolithes, une curieuse cheminée du XIe siècle,
et une vaste salle de l'époque romane. La salle inférieure de
la *Tour Mélusine* (XIVe siècle) communique par une ouverture
centrale avec un cachot.

Environs
Les trois sauts de Roland.

Dans la forêt domaniale de Fougères, entre la route de
Nortain et l'allée des Hauts Vents, le dolmen de la *Pierre
du Trésor*. Ici le diable a caché des richesses. Aux environs
de ce monument mégalithique, on voit sur 300 m un alignement de blocs de quartz dit le *Cordon des Druides*. A proxi-

mité, les *Vieux Châteaux*, qui sont des fortifications som-
maires, en terre, et qui ont peut-être une origine préhistorique.

Au nord, le dolmen dit *pierre des Huguenots* se dresse non
loin des *Celliers de Landean*. Ce souterrain du XIIe siècle,
en bordure de l'avenue de Clairdonet, fut creusé par Raoul II
de Fougères pour mettre ses trésors à l'abri des troupes
anglaises. Le *Saut-de-Roland*, à Dompierre-du-Chemin,
est à quelques minutes à pied de la N. 798 venant de Laval.
C'est une ravine profonde et rocheuse. Roland, par trois
fois, la fit franchir à sa monture. Au troisième bond, le
cheval glissa sur la roche. On voit encore la trace de ses
sabots.

FOUGÈRES–SUR–BIÈVRE
(Loir-et-Cher) 564 h. Paris 182 - Blois 21.

Huit pierres abandonnées.

Au lieu dit *la Chapelle des Druides* furent trouvés huit gros
polissoirs. Deux de plus de 2 m de long sur 60 à 80 cm de
large. Les six autres, gros *comme un fort tonneau*. 15 m plus
loin, un menhir qui fut détruit vers 1860. Une fontaine ferru-
gineuse sourd non loin de là.

L'effet du jour.

Les fées, dans la région, n'avaient de puissance que la nuit.
Elles déplaçaient les polissoirs lorsque le soleil parut à
l'horizon; précipitamment, elles abandonnèrent à cet endroit
leur fardeau, et les blocs de pierre ne purent franchir la
Bièvre qui coule en contrebas.

FOULBEC
(Eure) 925 h. Paris 188 - Pont-Audemer 9.

Un trésor qui coûte cher.

Un trésor est enfoui sous la hauteur des *Grandes Bruyères*;
il y aurait été déposé par les Anglais sous le règne de
Charles VII. — On a découvert, dans les environs, de
nombreuses tuiles romaines. Celui qui découvrira les richesses
enfouies sur le territoire de la commune devra nourrir pendant
douze ans tous ses habitants.

FOURGS (Les)
(Doubs) 579 h. Paris 456 - Pontarlier 10.

Des troupeaux ensorcelés.

Empêcher les sorciers de nuire aux troupeaux et de traire
les vaches à distance a toujours été, ici, le souci des propriétaires de bétail. Aux Fourgs, on forait un petit trou dans les
cornes des vaches. On y mettait un peu de cire, celle du
cierge pascal. Quand la bête se penchait sur l'abreuvoir,
les cornes ainsi sanctifiées se reflétaient dans l'eau et en
chassaient les mauvais esprits.
Les Suisses, qui étaient fromagers dans le pays, avaient la
réputation de jeter des sorts.
La nuit de la Saint-Jean, le berger vient clouer sur la porte
des étables une branche de sapin ornée de fleurs. Le lendemain, chaque bête du troupeau revient à la ferme avec,
sur le front, une branche identique. Le berger décore ainsi
toutes les bêtes des troupeaux dont il a la garde. C'est l'occasion, pour lui, de recevoir des étrennes.

FRAIZE
(Vosges) 3 540 h. Paris 406 - Saint-Dié 16.

Saint Blaise en saint Sébastien.

Le dimanche 11 mai 1851, à 8 h du soir, la foudre tomba sur l'église bâtie à l'emplacement de l'ermitage occupé au VIIe siècle par saint Déodat. La panique fut telle parmi les fidèles, assez nombreux dans la nef, qu'on releva deux morts. La foudre avait pénétré par la grande porte, qui se fendit en deux. Une esquille de bois projetée avec violence vint se ficher dans le portrait de saint Blaise (conservé aujourd'hui au fond de la nef à gauche). Fixé par deux attaches à côté de la déchirure du tableau, le fragment de bois est encore visible.

FRÉJUS
(Var) 13 452 h. Paris 893 - Cannes 35.

Les pluies de saint François.

Le sixième dimanche après Pâques, on fête saint François de Paule, patron de la ville. Le thaumaturge débarqua ici en 1483 et délivra la ville de la peste. On l'honore d'une *bravade*. Sa barque, entièrement gréée, et montée sur roues, est promenée dans le pays. On invoque le saint pour l'obtention de la pluie. Prières parfois trop bien exaucées : en 1960, Fréjus fut en partie noyée.

Estérelle ou la fée Abondance.

De Fréjus, on allait jadis, le 1er mai, en pèlerinage à la *Sainte-Baume-de-l'Esterel*, où saint Honorat, le fondateur de Lérins, vécut en ermite. On y vénérait en réalité la fée Estérelle ; elle protège le lieu et y dispense la fécondité.

FRÉMICOURT
(Pas-de-Calais) 319 h. Paris 158 - Arras 26.

Le dernier des dolmens.

Le dolmen de Frémicourt est le dernier vestige d'un ensemble important qui comportait quatre dolmens reliés par des lignes de pierre. On l'appelle dans le pays tantôt *Bises-Pierre*, tantôt *Table des Fées*. Il se dresse non loin de la chaussée Brunehaut.

FRENEUSE
(Seine-Maritime) 516 h. Paris 129 - Elbeuf 8.

Le bateau ivre.

Sur la rive droite de la Seine, dans les coteaux, se trouve la *Bouche d'Enfer*.

Là, chaque samedi, se réunissaient les sorciers de la contrée. Certains, qui venaient d'Elbeuf et du Pont-de-l'Arche, traversaient le fleuve à Cricquebœuf. Ils empruntaient la barque d'un habitant du village. Au retour du sabbat, ils souillaient à plaisir l'embarcation. L'expression locale : *C'est de la monnaie de sorcier*, accrédite encore la légende.

FRESNES–AU–MONT
(Meuse) 124 h. Paris 248 - Bar-le-Duc 30.

Les tireurs de serviettes.

On consultait souvent, en Lorraine, les guérisseurs et les devins. A Fresnes, ils rendaient leurs augures au moyen d'une serviette tordue dans le sens de la longueur. Un tour de main adroit imprimait à la serviette des mouvements qui étaient interprétés comme des réponses aux questions posées. La serviette prescrivait les remèdes, ordonnait des neuvaines

dont l'argent devait être remis à la *tireuse de serviette*. Il
n'est pas certain qu'on ne fasse encore à Fresnes, à Étain,
Rouvres ou Buzy, *tirer la serviette*.

FRESSE–SUR–MOSELLE
(Vosges) 2 274 h. Paris 430 - Épinal 57.

La mare au diable.

Des arabesques, creusées dans la *roche du Sabbat*, située
dans la forêt à la limite de Saint-Maurice-de-Bussang, indiquent le domicile de *Culâ*. Culâ est un ami du diable, un
esprit de la nuit; il prend la forme d'un feu follet, d'un
cierge, d'un reflet, d'un bouc aux yeux flamboyants. Pour
se débarrasser de lui, le passant n'a qu'à proférer un juron.
Culâ se précipite dans la première flaque d'eau venue. De
petites flammes dansent alors autour de cette mare. En patois, Culâ signifie feu follet et on appelait jadis la lampe à
huile *culâ*.

GANNAT

(Allier) 5 204 h. Paris 346 - Vichy 19.

Une brioche vaut un œuf.

Jusqu'à la fin du XIXe siècle, le lundi de Pâques, on allait au *rocher de sainte Procule* manger de la brioche (et non pas des œufs). Sur ce roc, on distingue l'empreinte du pied de la sainte. Le pèlerinage se pratique encore le lundi de Pâques. Gannat possède la belle église Sainte-Croix dont le chœur remonte au XIe siècle, et dont l'histoire est liée à une touchante légende.

Sainte Procule ne perd pas sa tête.

Au Xe siècle, Procule, fille d'un seigneur du pays, renommée pour sa beauté, avait résolu de quitter le monde. Gérard,

comte d'Aurillac, voulut la contraindre à l'épouser. Repoussé,
il tire son épée et lui tranche la tête. Procule se lève, prend
sa tête entre ses mains, et arrive devant l'autel de l'église
Sainte-Croix à Gannat; elle y dépose sa tête et s'étend ina-
nimée sur les dalles. Le peuple éleva une chapelle à l'endroit
où le meurtre avait été commis. La sainte décapitée s'étant
assise cinq fois au cours de son trajet, cinq stations marquè-
rent les places où elle s'était reposée.

GAP
(Hautes-Alpes) 17 317 h. Paris 683 - Embrun 38.

Une pierre dans un musée.

La *pierre de Gap*, conservée au musée de la ville, est un
mégalithe gravé et dédié au Ciel et à la Terre.

Les mystères de l'île flottante.

Près de Freissinouse, un marais, qui fut autrefois un lac,
offrait jadis le spectacle d'une île flottante, dite la *Motte
Tremblante*. On lui attribuait nombre de vertus magiques et
de faits légendaires.

GAUCHIN–LE–GAL
(Pas-de-Calais) 253 h. Paris 200 - Béthune 20.

Un rocher indiscret.

Sur la place du village, un bloc de grès est enchaîné à une
borne. On raconte que ce *gal* vint autrefois au village sans
qu'on sût pourquoi ni comment. Pendant la nuit, il s'en
allait frapper la porte des maris trompés. C'est sans doute
la raison pour laquelle il fut enchaîné. Une plaque porte
cette inscription : « Cette chaîne a été remise en 1925 par
les soins d'un célibataire compatissant. »

GAULT–DU–PERCHE (Le)
(Loir-et-Cher) 759 h. Paris 175 - Châteaudun 34.

Route à éviter la nuit.

Des revenants se manifestent après le coucher du soleil,
dans le bas de la côte de la Jalousière. Tantôt c'est un curé

au visage noir comme sa soutane et dont les grands yeux
flamboient, tantôt ce sont des foules qui s'agitent sur la
route et s'évanouissent à l'approche du passant. Parfois, un
homme à tête de mouton : il reste immobile dans la
haie, nu, et regarde le voyageur d'un air si triste qu'il
lui donne envie de pleurer. Il se montre aussi à la *croix du
chemin d'Arrou.*

GÉE
(Maine-et-Loire) 234 h. Paris 276 - Angers 34.

Un saint extrémiste.
Sainte Barbe est invoquée à Gée « pour en finir ou en guérir »
lorsque l'invocation aux autres saints n'a rien donné. On
appelait aussi sainte Barbe *saint Languissant*, ce qui laisse
supposer que l'incertitude régnait sur le sexe de ce personnage sacré. Mais on était certain qu'après l'avoir invoqué,
le malade serait sauvé ou mourrait de son mal.

GÉMEAUX
(Côte-d'Or) 594 h. Paris 308 - Dijon 21.

Chevauchées mystérieuses.
Monsieur de Virville, propriétaire de la *maison des sœurs*,
partait de nuit avec un mystérieux compagnon, chevauchant
un coursier enchanté nommé Demelo. La nuit qui précéda
ses funérailles, une file de cavaliers noirs s'inclina devant la
vieille croix des Halles.

L'appartement des fées.
Les fées habitaient la *fontaine de Saint-Pierre-de-la-Roche*,
qu'elles avaient creusée, et le *Trou aux fées*, tout proche de
la *Chaise du Diable*, dans l'enceinte du manoir féodal. La
nuit, elles se rendaient par le souterrain au bois de la Charme
pour retrouver la *Cla* (feu follet) et les siens.

Trésors et vouivres.
La vouivre du château va se baigner à la *fontaine de Demelet*
entre deux et trois heures de l'après-midi. Surprise, elle
relève son capuchon sur sa tête. Une autre vouivre
garde le *trésor des Templiers* sous le *Murger-aux-Fosses.*

GENTIOUX
(Creuse) 587 h. Paris 405 - Aubusson 31.

Les monstres veillent le mort.
Au cimetière du village, Jean Cacaud a sculpté pour lui-même, au XIXe siècle, une tombe sur laquelle on voit une femme voilée qui siège parmi des animaux monstrueux. Une autre femme allaite son enfant; des masques grimaçants l'entourent.

GÉRARDMER
(Vosges) 8 218 h. Paris 420 - Saint-Dié 30.

Un singe qui descend de l'homme.
On parle encore à Gérardmer de la femme du Beillard qui accoucha d'un singe. Il mordit le doigt de la sage-femme, et sitôt né, passa par la fenêtre pour se sauver sur le toit. On ne le revit plus. Mais le Beillard avait éprouvé un si grand saisissement qu'il mourut peu de temps après.

L'écho répond trois fois.
La *roche du Diable* fait face à une autre roche du Diable située de l'autre côté du lac. Ces pierres avaient mauvaise réputation dans le pays. Dans la région de Gérardmer, les lieux hantés et les rendez-vous sataniques, emplacements de sabbats, maisons de fées, étaient si nombreux qu'on entreprit, au XVIe siècle, d'exorciser tout le pays en plantant, un peu partout, de grandes croix de bois dont il reste quelques exemplaires. L'une d'elles se dresse au haut de la côte du Bas-Rupt. Au pied de cette croix dite *croix des Trois-Cinq* (elle fut érigée en 1555), on entend si l'on jette un appel l'écho répéter trois fois chaque syllabe. La crédulité populaire attribuait une origine surnaturelle à ce phénomène acoustique.

L'ermite pétrifié.
Un chevalier appelé Bilon se serait retiré, au IXe siècle, dans une grotte, au bord du lac de Longemer. En 1830, on a mis au jour l'entrée d'une caverne murée par des éboulis. Cette grotte, située au bord occidental du lac, contenait un squelette pétrifié que l'opinion publique supposa être celui de

Bilon. En 1962, on découvrit des vestiges de l'oratoire du chevalier.

GERMOND
(Deux-Sèvres) 489 h. Paris 390 - Niort 25.

Farces et attrapes des farfadets.
La vallée de l'Egray passait pour être le domaine des far-fadets. Vers la fin du XIXᵉ siècle, les femmes se réunissaient pour filer dans des cavernes naturelles ou dans des carrières. La température y était assez douce pour s'y passer de feu. Un chauffe-pied et la cape qui les enveloppait leur suffisaient. Ces réunions gênaient les farfadets. Ils se vengeaient en faisant aux veilleuses toutes sortes de mauvais tours : ils brouillaient les fils des tricots, égaraient les aiguilles ou soufflaient les bougies. Un soir, alors que les fileuses revenaient au village, elles furent effrayées par un vacarme épouvantable ; un chariot aux roues grinçantes, traîné par des farfadets, remontait la pente avec une rapidité vertigineuse. Une des fileuses eut l'idée de faire son signe de croix, et aussitôt chariot et farfadets disparurent. Les hommes se rendirent dès le lendemain matin au même endroit. Ils ne trouvèrent aucune trace de chariot.

GERZAT
(Puy-de-Dôme) 2 832 h. Paris 400 - Clermont-Ferrand 5.

Une hirondelle guérit les aveugles.
Pour guérir les maux d'yeux, on cherche un nid d'hirondelles où se trouve un petit, que l'on aveugle avec du sable ou de la cendre. Les parents hirondelles vont, dit-on, chercher au bord de la mer un caillou qui *désaveugle* leur progéniture. Les habitants de Gerzat leur prennent cette pierre, et son application sur les yeux des malades leur rend la vue.
Pour protéger les troupeaux, on attache à la corne d'une vache un sachet contenant du sel, une pièce de monnaie marquée d'une croix, et du buis bénit. Quand une fermière

mène sa truie au verrat, elle met plusieurs tabliers, l'un sur l'autre, pour que l'opération réussisse.

L'affreux Barbo.

On fait peur aux enfants en les menaçant du croquemitaine local, une bête noire fantastique, le *Barbo*.

GESPUNSART
(Ardennes) 1 210 h. Paris 249 - Charleville 12.

La sorcière mal coiffée.

Ointe d'une graisse faite avec le foie d'un enfant mort sans baptême, la sorcière s'envole vers le lieu du sabbat, au *Paquis des poules*. Là, avec ses pareilles, elle rassemble les nuages d'orage d'où la grêle tombera sur les moissons. On dit encore, en Ardennes, d'une femme mal peignée : « Elle est coiffée comme une pousseuse de nuées. »

Petits démons campagnards.

Hallequins et *Lumerettes* guettent le passant, dans les bois ou près des étangs. Les *Couzietti* grimacent dans le feuillage des arbres, et les *Houziers* (ou *Hozeliers*) sont les esprits du brouillard. La *Pie-Pie-Van-Van* jette dans la Meuse celui qui l'écoute et le *Galichet* vole le grain.

Trois arbres qui saignent.

Dans un vallon de la forêt vivaient les trois filles d'un bûche-
ron que le diable métamorphosa en trois affreuses vieilles,
pour éloigner d'elles leurs soupirants. Un chêne ayant écrasé
dans sa chute un jeune garçon du village, les habitants s'en
prirent aux trois femmes qu'on fit brûler dans leur masure.
Trois peupliers, dont la sève était rouge, sortirent des cendres
et grandirent en moins d'une heure sous les yeux de la foule
épouvantée. Ils formèrent le *Bouquet des Sorcières*. Les
amoureux s'y donnaient rendez-vous, et l'on entendait le
vent y pleurer, la nuit, dans les branches. Ces arbres disparurent de la forêt au début du siècle dernier, mais leur
souvenir s'est conservé.

GIGNAC
(Hérault) 2 399 h. Paris 723 - Montpellier 30.

L'âne de Gignac a la vie dure.

Comme le chameau de Béziers ou le bœuf de Mèze, l'âne de
Gignac est un monstre processionnel, dont la carcasse de
bois est recouverte d'étoffes et décorée de guirlandes. On
appelait cette effigie *Monsieur Martin*. Les *mignons* jeunes
gens fort galamment attifés, l'accompagnaient en distri-
buant des bouquets à la foule. Cette cérémonie, sur l'ordre
du roi, fut interdite en raison « des débauches, scandales et
désordres » qu'elle occasionnait.
Mais l'âne de Gignac, qui aurait jadis sauvé la ville d'une
attaque des Maures, fit bientôt sa réapparition. D'ailleurs,
il porte la même devise que le chameau de Béziers : « Ex
antiquitate renascor », *De mon état ancien je renais*. Il est
donc promené encore aujourd'hui, le jour de l'Ascension,
au son des tambours et des fifres.

Une bataille pour le beau temps.

Après la procession de l'Ane, les garçons de Gignac se livrent
à un combat de gladiateurs, nommé le *Sinebelet Belus*,
c'est-à-dire le *sire de la guerre*, à moins qu'il ne s'agisse encore
ici du dieu Belen, si important dans le panthéon français.
Le sire de Laurès, chevalier né à Gignac vers 1707, a laissé
de cette coutume une description très instructive : « Les
combattants s'assemblent sur la grande place. Les uns
paraissent en habit de pantalon bigarré du signe du soleil

et de la lune, extrêmement large, dont on remplit le vide
avec de la paille, ou toute autre manière propre à garantir
des contusions, un casque de fer en tête, des bottines aux
jambes, un sabre de bois d'alisier en main, mince vers le
milieu et gros à l'extrémité, dans la vue de le rendre plus
pliant et de frapper avec plus de force; les autres sont munis
de grosses racines... » Selon Fernand Benoît, ce simulacre
de combat représentait une bataille qui avait eu lieu jadis
avec les Sarrasins, et l'ensemble de la fête symboliserait la
déroute de la mauvaise saison.

GIRMONT–VAL–D'AJOL
(Vosges) 390 h. Paris 380 - Plombières 16.

La pierre du tonnerre.
Bloc erratique, en aval de la cascade du Gehard, la *pierre
du Tonnerre* repose en équilibre sur deux roches. Elle tremble
sur sa base quand il tonne.

GIRY
(Nièvre) 395 h. Paris 236 - Nevers 43.

Un mort vagabond.
Le château de Giry fut en 1360 le théâtre d'une bataille
sanglante entre son propriétaire, le seigneur Érard, et un
chef de brigands, Grimond de Faval. Celui-ci s'empara du
manoir et fit décapiter ses prisonniers. Saint Pierre lui refusa,
lorsqu'il mourut, l'entrée du Paradis. Son âme hante le
château, rase les murs de la tour où furent jetés les suppliciés,
dont les âmes gémissent dans les profondeurs.

GISAY–LA–COUDRE
(Eure) 351 h. Paris 147 - Évreux 64.

Le saint fouetté.
Quand saint Taurin, premier évêque d'Évreux, vint pour
les évangéliser, les habitants de Gisay s'emparèrent de lui
pour le fustiger. Une des verges qui avaient servi à son
supplice tomba du faisceau et prit racine : depuis, ce coudrier miraculeux est vénéré par les pèlerins.

GISORS
(Eure) 5 670 h. Paris 68 - Beauvais 32.

L'oriflamme des rois de France.

Les rois de France recevaient solennellement en l'abbaye de
Saint-Denis une bannière qui n'était déployée que lorsque
l'issue des combats était incertaine. Cet étendard, selon
Froissart (II, 125) avait été envoyé du Ciel; il appartenait
de droit aux comtes du Vexin, comme en témoigne une
patente de 1124, conservée dans le trésor des titres de
Saint-Denis : « En présence du vénérable abbé de ladite
église, Suger, notre fidèle et familier conseiller, et en présence
des grands de notre royaume, nous avons reçu et pris de
l'autel des saints martyrs auxquels la Seigneurie du comté
du Vexin appartient, et lequel nous tenons d'eux aujourd'hui
en fief, l'étendard, suivant l'ancienne coutume de nos

prédécesseurs, comme ayant droit de porter ladite bannière,
comme les comtes du Vexin le faisaient autrefois... » On
remarque dans le texte latin l'ancien nom de ce comté.
Il est possible que l'ancien « Velocassinus pagus » cité par
les historiens, ce « Vexin » dont Gisors était la capitale,
ait pris son nom d'un ancien sanctuaire de Vulcain, centre
métallurgique païen évoqué encore, à travers la légende
chrétienne, par l'oriflamme « de cendal, de couleur de
flamme d'or et splendeur rouge » que ne décorait aucune

figure comme l'atteste Guillaume Guiart, en son *Roman des royaux lignages* :

> *Oriflamme est une bannière*
> *Sans pourtraitture d'autre affaire*
> *De cendal rougeoyant et simple.*

Cet étendard était si vénéré par les chevaliers français que, sous le règne de Charles V, un maréchal de France, d'Andrehen, quitta son office pour porter l'oriflamme que Froissart appelle *la souveraine bannière du roi*, et Monstrelet, citant une patente de Charles VI, *le signe royal*.

Une croix lumineuse dans le ciel.

En allant de Gisors à Neaufles-Saint-Martin, on voit une ancienne croix de pierre. Au-dessus de son emplacement, apparut dans le ciel, en 1188, une croix lumineuse. On prêchait alors à Gisors la troisième croisade.

Le songe de Jacob.

Au-dessus du grand portail de l'église Saint-Gervais et Saint-Protais, dans une archivolte à caissons, un bas-relief représente un homme endormi près d'une échelle sur laquelle montent de petits personnages. Cette scène figure, dit-on, le songe de Jacob et la naissance des rois de Judas. On peut aussi rapprocher ce bas-relief d'une gravure ornant le frontispice d'un célèbre traité d'alchimiste, le « Mutus Liber »; elle représente une échelle dressée vers le ciel constellé, près d'un homme endormi au bord d'une eau limpide, aux reflets métalliques. Sur les échelons, deux anges sonnent de la trompette.

La Vierge aux trois enfants.

Le portail méridional de cette même église est orné d'une
étrange statue de la Vierge; sur son bras droit, repose
l'Enfant-Jésus; dans les plis de son manteau, deux enfants
se blottissent; d'un geste de la main gauche qui relève
légèrement le milieu de sa robe, la Vierge semble dévoiler
la présence d'une postérité cachée.

L'énigmatique gisant de Gisors.

Sur le bas-côté droit de l'église Saint-Gervais, se trouve
une statue funéraire du XVIe siècle, un gisant décharné, dans
une chapelle dédiée à saint Clair qui était le patron de la
confrérie des maçons et tailleurs de pierre, fondée à Gisors
en 1514. Cet ermite, particulièrement vénéré dans le Vexin
normand, avait pour attribut symbolique (sur les bannières
des processions) une mitre triangulaire au centre de laquelle
était figuré un œil. On croyait, en effet, que saint Clair
pouvait rendre la vue aux aveugles. Au XVIIe siècle, Robert
Denyau, curé et historien de Gisors, assurait que cet ermite
s'était retiré *pour donner vie aux morts, et aux aveugles,
lumières*. Cette tradition locale explique la présence de ce
gisant dans cette chapelle mais l'on comprend plus difficilement pourquoi, dans son *Tableau poétique de l'Église de Gisors*,
Antoine Dorival a consacré à cette statue funéraire ce vers
singulier

> *C'est un affreux squelette ou le Maître parfait.*

On ignore aussi pour quelle raison ce gisant a été représenté,
à peu près nu, s'il s'agit vraiment, comme le veut l'épitaphe,
d'un certain Geoffroy le Barbier, *chapelain de la Sainte-
Chapelle*. Les avant-bras décharnés posés sur le bas-ventre,
forment une croix de Saint-André presque parfaite qui
semble composer avec le tracé géométrique des bras, depuis
les aisselles jusqu'aux coudes, un signe graphique maçon-

nique assez fréquent parmi les *graffiti* médiévaux des cathé-
drales, celui de la *pierre à pointe*, encore nommée *pierre
pyramidale*.

Ce symbolisme hermétique ne paraît pas avoir été étranger
à Robert Denyau, déjà cité; en effet, un vitrail de l'église
porte les armoiries de ce curé de Gisors : « D'azur, au réchaud
d'or enflammé de gueules, surmonté d'un cœur d'or et
accompagné de trois roses d'argent. »

Le fabuleux trésor des Templiers.

Le château de l'ancienne capitale du Vexin est l'un des plus
importants édifices militaires du XIIᵉ siècle. Sa construction,
entreprise en 1090 par le neveu d'Hugues de Payns, le fondateur de l'ordre du Temple, fut poursuivie selon les plans
de son architecte, Robert de Bellême, par les rois d'Angleterre, Henri Iᵉʳ et Henri II. Elle comporte quelques travaux
supplémentaires qui datent du règne de Philippe-Auguste
(1165-1223).

Au centre de l'enceinte de cette forteresse qui, avant l'inven-
tion de l'artillerie, était considérée comme imprenable, au
sommet d'une motte artificielle, se dresse un donjon; il
est défendu par une chemise polygonale de vingt-quatre
côtés, entourant les murs, épais de 2 m, de l'octogone du
donjon. A l'ouest, contre la paroi interne du mur de revête-

ment, subsistent les vestiges de la chapelle expiatoire édifiée par Henri II Plantagenêt à la mémoire de son illustre victime, Thomas Beckett. L'enceinte extérieure, encore bien conservée, compte quatre portes et neuf tours. Parmi ces dernières, il faut visiter celle que l'on appelle la *tour du Prisonnier* et que Charles Nodier considérait, à juste titre, comme « l'un des monuments les plus curieux de l'histoire de France. » On la nommait aussi la *tour Ferrée*. A chacun de ses trois étages, on peut relever et observer de nombreux *graffiti* et des inscriptions dont la signification demeure encore obscure. En bas, dans une salle qui servait de cachot, des prisonniers ont sculpté des scènes religieuses et profanes que l'on peut interpréter de façon très diverse. Par une curieuse coïncidence, on y trouve la réplique du gisant énigmatique de l'église Saint-Gervais et de l'une des inscriptions qui l'encadrent : « O Mater Dei Memento Mei. » La signature, d'un graphisme assez maladroit, semble postérieure à cette inscription. On peut lire *Poulain* mais il est plus prudent de ne pas en tenir compte dans ce déchiffrement. Plus important semble être le signe symbolique d'un cœur double qui figure à droite des mots *Dei* et *Mei*. C'est, en effet, l'indication certaine d'un *double sens* de cette formule gravée et du savoir *diplomatique* de son auteur. Ce cœur double accompagne, d'ailleurs, une autre signature énigmatique : « Jehan du Quevoy » que l'on retrouve, incomplète, dans les *graffiti* du donjon du Coudray, à Chinon, dans une tour où furent enfermés de hauts dignitaires de l'ordre du Temple.

D'autre part, la présence de prisonniers à diverses époques a eu pour résultat de superposer des inscriptions et des dessins appartenant à des siècles différents. On sait, ainsi, qu'en 1375 un prisonnier, Pierre Forget, s'évada de son cachot et l'on assure qu'après diverses pérégrinations dans les souterrains, il aurait pénétré dans une chapelle souterraine dédiée à sainte Catherine. Bien que cette aventure soit décrite par un manuscrit des *Archives Nationales* (Manuscrit J.J. 106, folios 406 et suivants), on a essayé, sans succès jusqu'à cette année, de retrouver cette chapelle disparue.

Voici quelques années, un gardien du château de Gisors, Roger Lhomois, ayant entrepris des fouilles personnelles clandestines, creusa de profondes galeries dans toute la hauteur de la motte artificielle du donjon. Ce travail achevé, il informa la municipalité qu'il avait découvert, à 21 m de profondeur, une chapelle souterraine de 30 m sur 9, renfermant 12 statues, 19 sarcophages et 30 coffres.

Lhomois n'ayant pas été cru, on donna l'ordre de combler les fouilles très incomplètes auxquelles on avait procédé. Cette curieuse affaire fut publiée dans un livre paru en 1962. Sur ordre du ministère de la Culture, les galeries creusées par Lhomoy ont été peu à peu dégagées. Mais, jusqu'à présent, l'énigme demeure intacte, et à peu près entière. Signalons enfin que certains auteurs, fondant leurs hypothèses sur la disposition et l'orientation du monument, ont soutenu que le plan du château de Gisors avait été conçu en fonction de données astronomiques précises, de telle façon que le château lui-même, dans son ensemble, serait une sorte d'horloge cosmique.

GIVERNY
(Eure) 372 h. Paris 78 - Vernon 4.

Cuisine mérovingienne.

Près de la croix, dans l'ancien cimetière, se trouve un énorme bloc de calcaire grossier que l'on nomme *pierre de sainte Radegonde*. On lui attribuait jadis le pouvoir de guérir la gale; des pèlerins venaient de fort loin demander leur guérison. Des fouilles ont révélé qu'elle reposait sur trois longues pierres perpendiculaires, espacées de 40 cm. Ce serait donc la table d'un dolmen. A environ 8 m, on a exhumé un collier de verre et un plat mérovingiens.

Les morts regardent vers le sud.

On découvrit à Giverny, au cours du siècle dernier, de nombreux souterrains ou caves non voûtées aux origines incer-

taines. Dans l'ancien cimetière, on a mis au jour vers la même époque 30 cercueils de plâtre et, dans une couche inférieure, 8 pierres brutes, longues de plus d'un mètre, larges d'environ 50 cm, qui recouvraient des ossements. Les crânes étaient tournés vers le midi. L'une des pierres était étrangère au pays et semblait avoir été apportée de Chérence.

GLUX
(Nièvre) 358 h. Paris 304 - Château-Chinon 18.

Pour avoir de belles ruches.
On allait, à la Chandeleur, déposer aux *rochers du camp-de-Glenne* des monnaies et des œufs, sur l'emplacement d'un ancien temple depuis longtemps détruit. Ces offrandes garantissaient au donateur la prospérité de ses ruches.

L'avenir dans un chiffon.
Une source coule auprès des rochers. A la naissance d'un enfant, on y jetait un chiffon. S'il surnageait, le bébé devait vivre. Mais s'il s'enfonçait, c'était un présage de mort.

GONDREXANGE
(Moselle) 459 h. Paris 390 - Sarrebourg 15.

Des Gaulois dans une mare.
On a fouillé le fond d'une mare située dans la carrière de Steinbach pour tenter d'y retrouver des vestiges gaulois. Creusés de la main de l'homme, les mares et les trous d'eau circulaires qui abondent en Lorraine portent souvent les noms de *mare aux Païens, trou des Sorcières.*

GORDES
(Vaucluse) 1 075 h. Paris 735 - Cavaillon 17.

Un cimetière taillé dans le roc.
Au *quartier des Cousins*, des tombes creusées à même le rocher datent de l'époque où la tribu des Vordenses occupait ce territoire, c'est-à-dire du début de la présence romaine. Le fait est attesté par l'inscription d'un cippe conservé dans la cathédrale d'Apt.

Architecture gauloise.

La grande curiosité du pays est l'ensemble des *bories* ou cabanes de pierre sèche, dont l'aire s'étend, dans la vallée du Calavon, jusqu'à Forcalquier, c'est-à-dire le long de la voie Domitienne. On ignore l'origine de ces constructions remarquables, dites dans le pays *cabanes gauloises*. Il est probable que, depuis les temps les plus reculés, les indigènes, pendant les périodes de tranquillité, apprirent à utiliser les innombrables pierres plates qui jonchent le sol, et à construire, sans ciment, ces abris très solides. Généralement ovoïdes, quelquefois pyramidaux, ils étonnent par leur belle architecture véritablement fonctionnelle. Peu de maçons aujourd'hui seraient capables d'élever ainsi ces voûtes parfaites à partir de pierres aussi grossières. Certaines de ces bories comportent plusieurs pièces, quelquefois une cheminée intérieure et un plancher. Les plus grandes ont 12 m de long et 7 de hauteur. Elles servirent successivement de maisons, de bergeries et de remises. Le rocher plat sur lequel elles sont bâties interdit d'y faire des fouilles. On s'accorde cependant à leur attribuer une origine celto-ligure, en reconnaissant que beaucoup sont plus récentes. La technique de construction, parfaitement au point, n'a pas varié, et l'on en trouve qui sont datées du XVIIIe siècle. On pourrait les rapprocher des *nuraghes* de Sardaigne et des *capitelles* du centre de la France. A Gordes, ces bories forment un véritable village.

GORZE

(Moselle) 1 092 h. Paris 300 - Metz 16.

La roche à pucelles.

Elle tourne sur elle-même, dit-on, quand une jeune fille vierge l'escalade.

Incidents de la route.

Les fées, ou *dames blanches*, sont presque toujours bienfaisantes en Lorraine. Il arrive, cependant, qu'elles soient à craindre. Près de la fontaine située entre Gorze et Novéant, trois fées barrent la route au voyageur, vers minuit, et l'empêchent de se diriger vers Arnaville. A Novéant passe la *Haute Chasse* que le spectre du Grand Veneur conduisait dans les airs, à grand fracas, au-dessus de l'imposante falaise des roches de la Frasse, pendant le mois des morts et durant l'Avent. Il avait été puni de la sorte pour s'être adonné à la chasse avec si grande passion qu'il en manquait la messe. Qui l'entendait devait se jeter à terre en se cramponnant pour ne pas être enlevé ou blessé par les volées de cailloux que soulevait la Haute Chasse.

GOUESNOU

(Finistère) 1 829 h. Paris 590 - Brest 7.

Femmes s'abstenir.

Au VIIe siècle ne s'étendait ici qu'un marais inculte, entouré de bois impénétrables. Saint Gouesnou s'y retira pour évangéliser les habitants « grossiers et sauvages » et fonder un monastère. On raconte qu'il fuyait la conversation des femmes et qu'il leur interdit l'approche du monastère. Il fit élever une grande pierre « outre laquelle une femme ayant voulu passer, au mépris de la défense du saint, tomba raide morte. »

Les rhumatismes vaincus.

Dans un enclos, une fontaine du XVIIe siècle, où les rhumatisants viennent faire leurs ablutions avant le lever du soleil en faisant couler l'eau le long des bras et du cou.

Saint Gouesnou, à qui les habitants avaient refusé l'hospitalité, dormit sur une pierre que l'on montre encore. Les rhumatisants vinrent longtemps se coucher sur cette pierre dans l'espoir d'obtenir la guérison de leurs douleurs.

Pierre pour estropiés.

On vint longtemps en cachette à la *pierre trouée de Kéran-galet*, qu'un curé avait fait enfermer à la chapelle Saint-Mermor pour la soustraire aux pratiques superstitieuses. Dans la cavité creusée dans ce roc, saint Mermor, par pénitence, laissait son bras pendant de longues heures. Les estropiés venaient passer leurs membres malades dans l'orifice de cette pierre bénéfique.

GOUÉZEC
(Finistère) 1 520 h. Paris 563 - Quimper 30.

Un très ancien signal d'alarme.

La *roche du Feu (Karreg an Tan)* se dresse à 218 m d'altitude, à 2 km au sud de Gouézec, sur la droite de la route d'Edern. Ce site, d'où l'on découvre un très beau panorama, doit son nom au fait qu'on y allumait autrefois le feu d'alarme à la vue de celui de Menez Hom.

GOULT
(Vaucluse) 958 h. Paris 711 - Apt 15.

Saint Michel chasse les nymphes.

Le hameau de Notre-Dame-de-Lumières, au bord de la route d'Avignon à Apt, est célèbre pour son très ancien pèlerinage. Dominé par un vaste rocher et arrosé par la Limergue, ce lieu était sacré pour les habitants de la vallée. Un autel dédié aux nymphes y a été trouvé. Ici, dès le IVe siècle, s'éleva une chapelle. Construite en l'honneur de Notre-Dame, elle fut bientôt affectée au culte de saint Michel.

Des lumières au cimetière.

En 1661, un vieillard nommé Jalleton vit des lumières sortir en procession de ce cimetière et gagner la chapelle. En 1670, un petit berger trouva une Vierge noire haute de 38 cm. On la nomma *Santo Vierge Negro*. L'église actuelle de Lumières possède une remarquable collection d'ex-voto provençaux dont l'intérêt documentaire est considérable. On est surpris par l'apparition, au fond de la crypte, de la statue de la Vierge ; au milieu de l'obscurité, elle se détache dans une

grande niche qui ressemble fort à un aquarium géant, dans
lequel nagent des anges.

GOURBIT
(Ariège) 123 h. Paris 786 - Foix 23.

Un berger pétrifié.
Des bergers au cœur dur refusèrent du pain à un mendiant
qui, selon la légende, aurait été saint Jacques de Compostelle.
L'un d'eux seulement se montra charitable et le mendiant
lui conseilla de fuir la vallée sans se retourner. Le berger
obéit, mais, entendant pendant sa course le fracas d'un cataclysme derrière lui, il ne put s'empêcher de tourner la tête
et il vit le pâturage s'engloutir sous les eaux de ce qui est
maintenant l'étang d'Artax. Changé en pierre, le berger
s'immobilisa au *roc du Midi*.

Bains de nuit pour épileptiques.
La fontaine de Gourbit guérissait de l'épilepsie si l'on s'y
plongeait à minuit. Les bains pris le jour de la Saint-Jean
d'été, de très bon matin au lever du soleil, ou le 23 juin à
minuit, étaient particulièrement bénéfiques.

GOURIN
(Morbihan) 5 576 h. Paris 530 - Quimper 43.

Un Pardon pour les sportifs.
Le Pardon local se déroule pendant presque une semaine
(à partir du dernier dimanche de septembre). On y assiste
à de curieuses courses de chevaux sur la grande route
et à des concours de lever de perche, sport assez répandu,
autrefois, dans l'intérieur de la Bretagne. On peut y voir
également des tournois de lutte bretonne et y rencontrer,
parfois, quelque jeune champion portant les cheveux longs,
selon l'ancienne mode gaélique.

Un saint ophtalmologiste.
A 4,5 km au nord-est du bourg s'élève la chapelle dédiée à
saint Hervé. Le saint fut d'abord invoqué contre les loups

qui infestaient les Montagnes noires. La région étant riche
en chevaux, on obtenait les bonnes grâces du saint en lui
offrant des bouquets de crins. Les loups disparurent : la
dévotion populaire fit du saint, lui-même aveugle, le patron
des ophtalmologistes. Les chevaux, qui continuent d'être
honorés et bénits, participent encore aux pèlerinages. Une
procession de ce genre se déroule le dernier dimanche de
septembre.

GOURNAY-EN-BRAY
(Seine-Maritime) 4 441 h. Paris 98 - Gisors 25.

Grimaces gothiques.

Église Saint-Hildevert : la nef (début du XIIe siècle) a des
arcades romanes et des voûtes gothiques; voir notamment
les chapiteaux des colonnes qui présentent des rinceaux
géométriques et des *masques grimaçants*, et les chapiteaux
romans des bas-côtés du chœur.

La tête sur le feu.

Des moines auraient apporté à Gournay, au IXe siècle, le
chef de Hildevert. Quand on voulut poser la châsse sur
l'autel, elle était devenue plus lourde que du plomb : personne ne put la soulever. Le peuple s'ameuta. Hank, le chef
des conquérants norvégiens, maîtres du pays normand,

irrité de ce miracle, ordonna de soumettre la tête du saint
à l'épreuve du feu, selon les coutumes barbares. Il fit allumer
un brasier devant la pierre de justice et s'assit devant elle
avec ses guerriers et sa femme; puis il ordonna de jeter le
chef de saint Hildevert dans les flammes.

La tête, au lieu de se consumer, s'éleva lentement au-dessus
du feu et alla se poser sur les genoux de la femme du pirate
norvégien. Celle-ci prit la relique et la rendit aux moines.
Hank se convertit à la foi chrétienne.

GRASSE

(Alpes-Maritimes) 22 187 h. Paris 936 - Cannes 17.

La naissance des parfums.

Vers le milieu du XVIe siècle, Catherine de Médicis, qui aimait
tant s'entourer de décors étranges et d'un luxe rare, se lassa
des parfums exotiques qu'elle faisait venir d'Orient à grands
frais. Ayant ouï dire que les bords de la Méditerranée provençale recélaient les fleurs les plus odorantes, elle manda l'un
de ses savants, le Florentin Tombarelli, afin que par son
art il transforme ces pétales sauvages en essences précieuses.
Tombarelli choisit la ville de Grasse, dont la situation répon-
dait le mieux à ses exigences. Les fleurs qui faisaient le
charme de la région devinrent une source de richesse pour la
petite cité bénie des dieux, la seule ville du monde, comme
l'a dit Francis de Croisset, où le mot *usine* évoque la poésie.
Les premières essences furent celles de la lavande et du roma-
rin, qui se vendirent jusqu'à la Foire de Beaucaire, puis
à travers tout le royaume.

GRENOBLE

(Isère) 116 450 h. Paris 580 - Chambéry 57.

Deux noms énigmatiques : Dauphin
et Dauphine.

On sait que Grenoble est l'ancienne capitale du Dauphiné,
la *Gratianopolis* romaine et le *Cularo* des Allobroges. En
revanche, on ignore encore le sens véritable des noms *Dauphin* et *Dauphine* et les historiens ont échafaudé à ce sujet
de nombreuses hypothèses. Piganiol de la Force, dans un

mémoire sur *Le surnom des enfants de nos Rois*, rappelle que,
depuis l'époque où les comtes d'Albon, dauphins de Viennois,
cédèrent leurs possessions à la France, en 1349, à la condition qu'elles seraient l'apanage du fils aîné du roi de France,
cet héritier en portait les armes écartelées de celles de
France et le titre de *dauphin du Viennois*. Le premier fils
(mort en 1711) de Louis XIV est aussi le premier qui ait été
appelé *Dauphin de France*. Ce dernier n'entrait en aucun
partage avec ses frères cadets, leur donnant seulement des
terres ou des apanages qui leur permettaient de vivre selon
le rang de leur naissance. La qualité du deuxième fils était
celle de *duc d'Orléans*; le troisième était *duc d'Anjou*; le
quatrième, *duc de Berry*. Après cela, aucun titre fixe n'était
prescrit par l'étiquette.

On doit signaler que les comtes d'Auvergne, alliés, depuis
Robert IV, au dauphiné du Viennois, se nommaient *dauphins
d'Auvergne*; leur souveraineté était appelée, d'ailleurs, le
dauphiné d'Auvergne.

Ces faits semblent justifier l'hypothèse de l'historien Bullet
selon laquelle le nom de *dauphin*, que l'on trouve sous
la forme *dolphin* en Angleterre dès le XIe siècle, serait
d'origine celtique et viendrait de deux mots *dol* ou *del*,
territoire, *contrée*, et *phin* ou *pen*, *maître*, *chef*, *souverain*.
Il qualifierait ainsi le *souverain du territoire*.

D'autres érudits, plus audacieux, n'ont pas hésité à voir dans
le mot *delphin* le souvenir de l'origine des Allobroges qui

seraient venus de l'antique sanctuaire de Delphes, d'où leur surnom de *Delphinatos*.

Il y a peut-être une autre explication, plus mystérieuse : à savoir que le nom de Grenoble comme celui d'autres localités où l'on retrouve la racine *Gren*, loin de rappeler l'empereur Gratien, serait en rapport avec l'ancien nom gaulois *Grenos* ou *Granos*, qui désignait une divinité solaire. Le dauphin serait ainsi le symbole du *fils du soleil* et, dans ces conditions, il aurait été appliqué justement au fils du roi de France, quelles que soient les raisons historiques de la transmission de la souveraineté des comtes d'Albon.

L'une des plus anciennes cryptes de France.

C'est une chapelle mérovingienne, devenue la crypte de l'église Saint-Laurent. Sa construction remonte au VIᵉ siècle; sa voûte en berceau est soutenue par des colonnes dont la plupart proviennent des carrières antiques de marbre blanc de Paros. Elle est en forme de croix terminée par des hémicycles. On ne connaît aucune crypte plus ancienne en France, sinon celle de Jouarre, en Seine-et-Marne, dont la fondation date des premiers siècles du christianisme et où l'on prétend que se célébraient des mystères analogues à ceux des catacombes romaines. La voûte de la crypte de Jouarre est soutenue aussi par six colonnes antiques, de style corinthien; deux sont d'albâtre, deux de jaspe et deux de porphyre.

GRÉOUX-LES-BAINS
(Basses-Alpes) 785 h. Paris 806 - Aix-en-Provence 53.

Une station thermale des Romains.

Connue dès l'époque romaine (on y a trouvé une inscription votive adressée aux nymphes locales), puis oubliée, la source thermale de Gréoux ne fut remise à la mode qu'au XVIᵉ siècle.

Notre-Dame-des-Œufs.

Au-dessus du Verdon, une chapelle est dédiée à Notre-Dame-des-Œufs. On retrouve cette appellation en d'autres localités de Provence. A l'emplacement de la chapelle s'élevait pro-

bablement un temple à Hécate, déesse à qui l'on offrait
des œufs, symboles de fécondité et de prospérité.

GRÉVILLE
(Manche) 372 h. Paris 358 - Cherbourg 15.

Une jeune fille cuite au four.

Le *rocher du Castet* fait partie des falaises de Gréville. Une
grotte y est creusée, dite *caverne de Sainte-Colombe*. Colombe,
aussi savante que belle, se laissait attirer au presbytère par
le curé qui lui prêtait des livres et était secrètement amoureux
d'elle. Un jour qu'il se faisait trop pressant, elle s'enferma
dans une des chambres du presbytère. Elle y trouva une porte
qui donnait accès à un long souterrain. Elle aboutit, épuisée,
dans la grotte du rocher du Castet. On la retrouva là, et
elle ne dit à personne comment elle y était arrivée. Mais le
remords la tenaillait. Un jour qu'elle faisait le pain, elle
s'enferma dans le four. Quant on en ouvrit la porte, une
colombe s'envola, signe du pardon de Dieu. Le curé, l'appre-
nant, alla se pendre en un lieu depuis tenu pour maudit et
laissé en friche.

GROIX (Ile de)
(Morbihan) 4 051 h. - Lorient 1 h 30.

L'île de la Sorcière.

Ainsi doit-on traduire en français le nom breton de l'île
de Groix, *Enez-Er-Groac'h*.

Un clocher surmonté d'un thon.

Les thoniers sont bénits au cours d'une fête qui se déroule
au mois de mai à Port-Tudy. On remarquera, sur le clocher
de l'église de Saint-Tudy, un thon à la place du coq traditionnel.
Une bénédiction a lieu en mer, le 24 juin pour la fête de la
Saint-Jean.

GRUFFY
(Haute-Savoie) 512 h. Paris 557 - Annecy 20.

Fées et travaux publics.

En aval du pont de l'Abîme, on aperçoit dans le Chéran un roc, jadis appelé *pierre des Fées*. Filant la quenouille, les *dames blanches* l'on fait lentement descendre de la montagne. Son poids a creusé le ravin qui conduit du Semnos au Chéran.

GUÉPREI
(Orne) 172 h. Paris 207 - Argentan 12.

Sur les traces de Satan.

L'homme à la culotte rouge, c'est-à-dire le diable, passant avec ses bœufs devant la *pierre des Vaux-d'Aubin*, appuya sur la pierre le bout de son aiguillon, dont on peut encore voir l'empreinte.

GUÉRANDE
(Loire-Atlantique) 6 567 h. Paris 467 - La Baule 6.

Hippopotames bretons.

On a retrouvé dans les marais des dents d'hippopotames qui vivaient en pays breton, comme les éléphants, à l'ère quaternaire.

Merlin au catéchisme.

On a éventré, pour construire la route de La Baule, le vallon de Tromartin où se trouvait une très ancienne fontaine entourée de menhirs. Sur la roche, une empreinte de sabot de cheval : celle de la monture de saint Cado. Tromartin s'écrivait jadis : *Tro-marzen*. Marzen est le nom breton de l'enchanteur Merlin, que saint Cado, dit-on, aurait tenté de convertir.

Le lavabo du diable.

A l'extrémité ouest de la commune de Guérande, vers La Turballe, près d'un chemin de landes qui mène à Canon, un trou profond, de la largeur d'une cuvette, s'ouvre dans un plateau rocheux long de 18 m et parfaitement plat. Des infiltrations souterraines emplissent d'eau cette *fontaine du diable*. On craignait autrefois d'y rencontrer le Démon.

GUERBIGNY
(Somme) 294 h. Paris 123 - Amiens 35.

Une église sur un dolmen.
Les énormes grès bruts qui constituent la base du clocher de l'église seraient les débris d'un monument mégalithique.

GUERLESQUIN
(Finistère) 1 210 h. Paris 528 - Morlaix 16.

Des tournois de lutte.
En juillet a lieu le *tournoi* de Guerlesquin. Sport très ancien, la lutte bretonne obéit à des règles précises. Elle se pratique en chemise ample, permettant les prises. La victoire est déterminée par le *lamm* ou *saut* : il s'agit de projeter l'adversaire de telle manière qu'il touche terre des deux épaules à

la fois. Traditionnellement, les lutteurs se laissent pousser les cheveux.

GUÉTHARY
(Basses-Pyrénées) 903 h. Paris 754 - Saint-Jean-de-Luz 6.

Le fandango du diable.
Les sorciers qui se rassemblent pour aller au sabbat se couvrent la tête d'un drap blanc pour ne pas être reconnus.
Ils se joignent au cortège qui se dirige vers la plage de Markonekocostea où, avec les démons, ils danseront la *joie* et le *fandango*, danses que les Inquisiteurs avaient qualifiées de diaboliques.

La fiente d'étoile.
Les rochers de Cenitz contiennent du cristal de roche que les Basques appellent *fiente d'étoile*. Le quartz détaché de la pierre par une nuit sans lune acquiert des vertus magiques.

GUIDEL
(Morbihan) 3 656 h. Paris 516 - Lorient 11.

Une déesse en morceaux.
Le *tumulus de Lerméné*, récemment fouillé, est d'un type très particulier. De forme tronconique, il ne contient pas de
chambre; il est constitué par des couches de terre superposées, où l'on a découvert des tessons de poterie néolithique, des silex, un pendentif arciforme et les fragments d'une *statue-menhir* en granit, d'une très belle plastique, probablement une déesse-mère.

GUIGNES–RABUTIN
(Seine-et-Marne) 1 056 h. Paris 45 - Melun 15.

Un nom difficile à porter.
Le nom de cette localité n'a rien à voir avec la noble famille des Rabutin. Au contraire. Pendant la guerre de Cent Ans, la garnison du château des seigneurs de Guignes se cons-

titua prisonnière sans combattre et, pour cette lâcheté, on surnomma le bourg *Guignes-la-Putain*, nom difficile à porter et que les habitants transformèrent habilement. On dit en effet que le bailli de Guignes, au XVIIᵉ siècle, profita d'un passage du seigneur Bussy-Rabutin pour lui demander de remplacer l'épithète malsonnante de Guignes par le nom historique de Rabutin, en souvenir de sa visite. Ce qui fut promis, et tenu.

GUILLESTRE
(Hautes-Alpes) 1 050 h. Paris 742 - Briançon 34.

La rue des sorciers.
La *rue des Masques*, c'est-à-dire des *sorciers*, rappelle qu'au XVIᵉ siècle ce bourg était un lieu de sabbat fort connu.

GUIMILIAU
(Finistère) 817 h. Paris 567 - Brest 43.

Un des plus beaux calvaires bretons.
Le calvaire, l'église et le cimetière forment un ensemble architectural remarquable par son symbolisme chrétien. On entre dans le cimetière par une petite porte en plein cintre que surmontent deux cavaliers. Le calvaire (1581-1588), l'un des plus beaux de Bretagne, se compose d'un soubassement carré, flanqué de quatre contreforts à arcades basses et surmonté d'une croix ornée dont la traverse porte les statues de la Vierge, de saint Jean, de saint Pierre et de saint Yves. Sur la corniche et sur la plate-forme figurent plus de 200 personnages dont certains portent des costumes du XVIᵉ siècle, et qui composent, en 25 scènes, toute la vie du Christ.

On remarquera notamment le motif représentant la légende de *Katell Gollet* (« Catherine perdue »), très populaire en Bretagne. Katell, jeune personne de conduite légère, se damna, dit-on, pour l'amour d'un galant sous les traits duquel se dissimulait le diable et pour lequel elle déroba une hostie à des fins sacrilèges. Elle fut livrée au feu de l'enfer en punition de son crime. Elle est ici représentée entraînée par des démons dans la Goule infernale.

Alchimie dans l'église.

Les sculptures du porche de l'église méritent une mention particulière en raison de leur valeur ésotérique. Parmi les principaux symboles hermétiques, signalons, au-dessus du bénitier taillé en forme de coquille, un personnage de pierre qui élève deux branches mortes. L'arbre mort ou l'arbre sec, disent les alchimistes, est le symbole de l'inertie métallique, c'est-à-dire de l'état de dessèchement et de stérilité que présentent les métaux réduits et fondus par l'industrie humaine. Dans le grand œuvre, l'artiste doit « représenter les morts » par l'emploi d'une certaine « eau de vie », nommée par les alchimistes « eau bénite » ou « benoite ». Le récipient qui la contient est nommé « coquille Saint-Jacques » ou « Mérelle de Compostelle ». Ainsi l'entrée de l'église de Guimiliau figure-t-elle le commencement du grand œuvre.

GUIPEL

(Ille-et-Vilaine) 1 210 h. Paris 375 - Rennes 23.

Le mort va à la messe.

Le convoi mortuaire doit emprunter le même chemin que le mort suivait pour se rendre à la messe.

GUIPRY

(Ille-et-Vilaine) 2 565 h. Paris 388 - Rennes 43.

La fée farceuse.

A la *Butte-de-Baron*, les fées jouaient des tours à ceux qui passaient, la nuit, auprès des menhirs des Fougères. L'une d'elles accostait le voyageur, l'accompagnait jusqu'à son logis et lui contait de gais propos; arrivée à la ferme, elle s'asseyait au foyer et disparaissait pendant que son hôte allait chercher la traditionnelle bolée de cidre.

Des pierres qui poussent.

Les pierres qui jonchent la Beaucelaie et la lande tombèrent, un jour, de la chaussure de Gargantua, lorsque celui-ci franchit, d'une enjambée, l'étang de Baron. Ces pierres, dans les temps reculés, grandissaient comme le blé au soleil, mais Dieu y mit bon ordre pour que le paysan puisse cultiver la terre.

HAM–EN–ARTOIS
(Pas-de-Calais) 753 h. Paris 215 - Arras 46.

On décore la tombe des enfants.
Au début du siècle, les tombes des enfants et des adolescents étaient encore entourées d'une clôture de petites baguettes d'osier pelé, longues de 50 cm, parées de petites bandes de papier bleu et blanc. On faisait aussi des couronnes mortuaires avec des branches d'osier garnies de banderoles bleues, rouges et blanches.

Liqueurs pour la Sainte–Catherine.
Les jeunes filles, pour la Sainte-Catherine, se promenaient dans le bourg avec une bouteille de liqueur et offraient à boire à tous les hommes qu'elles rencontraient.

HAM–LES–MOINES
(Ardennes) 247 h Paris 240 - Charleville 12.

Le château des quatre fils Aymon.
Au *Trou-du-Diable*, un château aurait été habité par les *quatre fils Aymon*. Ils allumaient, dit-on, de grands feux sur la plus haute tour et communiquaient ainsi avec leur château de Vireux-Molhain.

HARCOURT
(Eure) 805 h. Paris 142 - Évreux 35.

Un cavalier en chaire.

Les stalles de l'ancienne église d'Harcourt, détruite sous la
Révolution, ont été transférées dans l'église de Goupillières,
à 6 km de là. Parmi elles, la chaire du prieur doit être signalée aux amateurs de symboles énigmatiques : le bois sculpté
du dossier montre un cavalier qui brandit une massue ;
cheveux au vent, emporté par sa monture, il tourne la tête
en arrière, à l'imitation de celui qu'on peut voir, à Paris,
sur l'un des médaillons de la rose ouest de Notre-Dame.
La scène est entourée d'une *couronne végétale*, surmontée
d'une moulure ayant la forme d'une paire de cornes,
tandis qu'en dessous une tige verticale donne le schéma
d'une croix. L'ensemble constitue le signe du *mercure*
des alchimistes. Au-dessus, on remarquera un vallon de
pins parasols, au milieu duquel s'élève une fontaine,
à base hexagonale. Dans la vasque se tient une jeune femme
qui, de ses mains, élève une palme et tend un voile devant
sa nudité. Sur les côtés, nous trouvons, d'une part, un vieillard drapé qui porte un *livre fermé* et s'appuie sur un long
bâton ; d'autre part, une jeune femme, debout, jambes
croisées, qui, dans la main gauche, porte une *coupe* au bord
de laquelle est posée une *colombe*, tandis que de la droite elle
semble offrir de la nourriture à l'oiseau. Ces figures sont surmontées de frontons triangulaires dominés chacun par un
vase dans lequel pousse une fleur, une rose au-dessus de
l'homme, un lis au-dessus de la femme. Le premier est
encadré par deux grotesques à tête de fous, à califourchon
sur des dauphins, le second par des personnages semblables,
à têtes de silène, montés sur des têtes d'*aigles*.

HARFLEUR
(Seine-Maritime) 7.495 h. Paris 220 - Le Havre 7.

Procès d'un homme de paille.

Pour célébrer le mardi gras, la jeunesse se groupait en
Confrérie de la Scie. Un cortège s'organisait. En tête un
cavalier chevauchait, portant une scie enrubannée, suivie

de deux porteurs de sceptre (le *bâton frisé* ou *bâton foireux*).
On jugeait un mannequin. Il était déclaré coupable de tous
les péchés de la ville. On le brûlait.

HASELBOURG
(Moselle) 306 h. Paris 403 - Saverne 17.

Saint Fridolin et l'eczéma.

Au Schacheneck, à 4 km environ du village, près de la
chapelle de Saint-Fridolin, jaillit une source qui passe depuis
fort longtemps pour avoir des propriétés médicinales. Très
souvent, aujourd'hui encore, des familles y viennent avec
leurs enfants pour les laver et leur donner à boire de cette
eau à laquelle on attribue le pouvoir de guérir maladies de
peau et maladies de gorge infantiles. Chaque lundi de Pentecôte, un office se déroule à l'emplacement de la chapelle
et le prêtre bénit l'eau de la source sacrée. Le nom assez
inattendu de saint Fridolin est celui d'un évangéliste né en
Écosse du Sud, qui vint en Gaule au VIe siècle et s'en alla
annoncer la Bonne Nouvelle en Alémanie.

Une femme prisonnière dans un souterrain.

La tradition veut qu'il y ait à Haselbourg un abri immense
où les paysans se réfugiaient lors des différentes invasions,
notamment pendant le passage des Armagnacs en 1444 et
pendant celui des Suédois en 1632. Ce souterrain avait une

issue près du *rocher du Coucou*, à 150 m du Fort Romain.
Une légende s'est créée à son sujet. La population emportait
ses trésors dans cet abri : lors du passage des Suédois, une
seule personne survécut. Les nouveaux arrivants, plus
tard, cherchèrent les trésors dont ils avaient entendu
parler. Une femme prétendit qu'elle avait vu, un dimanche
après-midi, pendant les Vêpres, une *dame blanche* qui lui
parut très bonne et qui portait un trousseau de clefs.
Cette dame s'adressa à la femme pour qu'elle lui montre
l'entrée du fort. Puis elle sembla prendre peur et s'enfuit.
Depuis, elle apparut assez fréquemment et elle suppliait
ceux qu'elle rencontrait de la délivrer. On l'entend pleurer
pendant les nuits de tempête. Personne n'a encore eu le
courage de l'aider et de lui montrer l'entrée du vieux souterrain, ce qui la délivrerait.

HASPARREN
(Basses-Pyrénées) 5 432 h. Paris 764 - Bayonne 25.

Les nains dans la poêle.

Les fouilles ont exhumé des ossements d'animaux préhistoriques énormes. Une très ancienne légende parlait d'un
« trou plein de rouge » que gardent les *Laminaks*, êtres
étranges vivant auprès d'une vieille tour qui serait la tour
Saint-Martin. Les Laminaks sont des génies bienfaisants
et taquins. Ils sont immortels. Ils pleurent la nuit ; pour les
faire taire, il suffit à celui qui les entend d'avoir une pensée
de pitié pour ces malheureux. Il arrive qu'au cours de leurs
vagabondages les Laminaks se risquent dans la cheminée
d'une maison et tombent alors dans la poêle à frire.

Un monceau d'écus.

Dans la *tour Saint-Martin*, dont les ruines s'élèvent non
loin des grottes, un monceau d'écus est caché. Un dragon
le gardait autrefois ; le curé d'Isturitz l'a chassé. Personne
n'a encore osé s'emparer du trésor.

On est enterré chez soi.

Le dolmen de Gaztelu a été dressé par les *Mairiaks*, ces
hommes légendaires à qui l'on attribue, en Pays basque, les
constructions mégalithiques. Sous les pierres levées, des
ossements ont souvent été retrouvés, vestiges des temps

reculés où l'homme enterrait ses morts auprès de sa demeure, sous un roc. Cette coutume, ici, a duré jusqu'à l'ère chrétienne; on dit encore, comme une menace : « Tu seras enterré dans ta maison. »

HAUTE–AVESNES
(Pas-de-Calais) 220 h. Paris 172 - Arras 15.

Une route souterraine.
Sous le château de la Commanderie-du-Temple, il existe un souterrain d'une hauteur de 6 ou 7 m, qui se dirige vers le mont Saint-Éloi et vers Avesnes-le-Comte. Les restes de la Commanderie ont été incorporés à la ferme Gossart.

HAUTERIVES
(Drôme) 1 185 h. Paris 540 - Vienne 40.

L'extravagante maison du facteur Cheval.
Le facteur Cheval, né en 1836, avait pris sa retraite dans son palais gardé par trois géants. La construction du palais lui prit 33 ans. Un panier à la main, il ramassait des cailloux au long des kilomètres de sa journée quotidienne. Puis, il le vidait, jalonnant ainsi la route de tas de cailloux. Le soir, il venait les reprendre avec une brouette, aujourd'hui conservée précieusement. C'est de cette façon qu'il a réuni les matériaux nécessaires pour élever ce palais où se mêlent tous les délires, et dont les formes et les dimensions sont nées du rêve.
La face nord mesure 14 m, la face sud 12 m, la face est et la face ouest chacune 26 m. Ces façades sont elles-mêmes multiples : on passe de la *Mosquée arabe* au *Chalet suisse*, du *Temple hindou* à la *Maison Carrée* d'Alger. Chacune de ces architectures a demandé son matériau particulier. L'ensemble se présente comme un château vaguement afro-asiatique, où les torsades de ciment se mêlent aux cactus, palmiers, oliviers, aloès et figuiers.
Cheval y régnait avec sa femme, revêtu le plus souvent de son uniforme et coiffé de son képi à cocarde.
Après son palais, il bâtit son tombeau, dont la construction lui prit huit ans. Il le dénommait « le tombeau du silence et du repos sans fin. » Au-dessus de la voûte qui abrite une

source, on peut lire : « A la source de la sagesse seule, on trouve le vrai bonheur. »

HAUTES–RIVIÈRES (Les)
(Ardennes) 1 749 h. Paris 264 - Charleville 22.

Vandalisme nocturne au château.

Dans les ruines du château de Linchamps, une fileuse erre, certaines nuits. Elle fait le tour du manoir et pousse du pied, dans le précipice, une pierre des ruines. On ne sait plus qui est cette âme en peine, ni pourquoi elle détruit ainsi, peu à peu, ce qui reste du château où, peut-être, elle vécut autrefois.

Touristes à la broche.

Au lieu dit *la Rivette*, un ruisseau souterrain a creusé dans le roc une excavation très profonde. Les fées autrefois, appelaient à haute voix : *Tahen! Tahen!* On les entendait de très loin. Dans les airs, une voix disait : « Ceux de Harcy sont-ils là ? » « Oui, oui. » La musique de sabbat se faisait entendre. On dit que les sorciers mangeaient, rôtis à la broche, les imprudents que la curiosité poussait à se risquer, de nuit, à la Rivette.

HAUX
(Gironde) 465 h. Paris 560 - Bordeaux 18.

Des serpents dans l'église.

Dans l'église romane de Haux, on peut voir diverses sculptures curieuses : femme aux reptiles, sirène à deux queues, les seins mordus par un reptile, animaux fantastiques.

HAVRE (Le)
(Seine-Maritime) 159 000 h. Paris 227 - Étretat 28.

Un conflit symbolique entre l'étoile de la mer et la salamandre.

Au XVe siècle, autour d'une chapelle dédiée à Notre-Dame-de-Grâce, se trouvait, sur l'emplacement actuel du Havre, un hameau de pêcheurs. Deux tours seulement s'élevaient dans cette région marécageuse qui présentait sur les autres zones côtières un avantage unique mais important : celui d'être recouverte pendant plus de deux heures par l'étale de la marée haute et d'être mieux protégée que Harfleur contre l'ensablement.

Dès 1509, Louis XII forma le projet de remplacer le vieux port de Harfleur, tombé en ruine, par une cité nouvelle. François Ier en confia la réalisation à un architecte italien, Belarmato, et au grand amiral Bonnivet. Le roi voulut attacher son nom et son symbole, la *salamandre*, à la future cité. Il proposa de l'appeler *Franciscopolis* ou *Francoiseville*, mais se heurta tout aussitôt à la tradition locale. Les matelots et les pêcheurs rendaient en effet un culte à la Sainte Vierge et préféraient le nom de *Havre de Grâce :* il leur rappelait la dévotion de leurs ancêtres à *l'Étoile de la Mer (Stella Maris).* Afin d'essayer de régler ce conflit, François Ier accepta de transiger sur ce point en nommant la ville *Françoise de Grâce,* mais cette décision royale ne fut pas longtemps respectée. Les armes du Havre évoquent encore ce différend : on y voit, certes, des salamandres, mais elles sont d'argent, métal lunaire, emblème traditionnel de la couleur blanche et de Marie, *reine des Cieux.*

Des damiers de Belarmato aux plans des urbanistes modernes.

On ignore généralement que le principe du tracé en damiers, selon lequel l'architecte de François Ier, Belarmato, avait édifié au XVIe siècle l'ancienne cité du Havre, a été rigoureusement observé par les architectes modernes qui reconstruisirent après la dernière guerre mondiale, le port le plus endommagé d'Europe. Aussi n'est-il pas sans intérêt d'essayer de décrire brièvement cette place forte telle que pouvaient encore la voir les touristes du siècle dernier. Le port avait connu sous Louis XIV un développement considérable : la Compagnie des Indes y faisait ses armements. A partir de 1774, un important trafic s'était établi avec le Nouveau Monde à la faveur de la guerre de l'Indépendance américaine, la France soutenant les Insurgents. Vers 1830, la ville était entourée d'un triple fossé, de remparts et l'on y entrait par cinq portes à pont-levis. Le port et la cité se composaient de neuf quais et de trois bassins séparés de l'avant-port par quatre écluses. Sur la jetée du sud, une grande écluse retenait les flots de haute mer et servait à déblayer l'entrée du port. On l'appelait *la Floride.*

On voyait alors trois monuments anciens, la tour de François Ier, les églises Notre-Dame et Saint-François. La tour, haute de 21 m, large de 26 m, était couronnée par un parapet découpé en douze embrasures. On y avait installé sur la plate-forme un télégraphe optique; on correspondait ainsi avec celui de La Hève, à 4 km au nord du Havre, et l'on transmettait par ce moyen les signaux du port aux voiliers de la rade.

Là où se trouve actuellement le bassin de la citadelle, s'élevait la place forte construite sous Richelieu. Dans les vastes salles de son arsenal pouvaient être disposés 25 000 fusils; autour de la place d'armes, qui formait un carré parfait, se trouvaient le logis du gouverneur, des magasins et huit corps de casernes. D'autres édifices ornaient la ville : l'arsenal de la Marine, construit en 1669; la manufacture royale des tabacs; la Bourse, fondée en 1784; la Douane; sur la jetée nord, entourée d'un parapet, s'élevait un petit phare en granit. Chaque année, en été, de nombreux touristes venaient alors visiter un vieil édifice, 19, rue de la Corderie; les pèlerins romantiques rendaient alors hommage à *Bernardin de Saint-Pierre*, qui naquit en 1737 dans la grande cité maritime.

HAYBES–SUR–MEUSE
(Ardennes) 2 186 h. Paris 249 - Rocroi 20.

Une femme de pierre.

Non loin de la *pierre Saint-Martin*, voici la *pierre de Madame de Courmont*, où se dessine le profil de cette dame, qu'un mari cruel fit mourir de chagrin. Elle laissa ses biens au prieuré de Diversmont, qui fit élever une chapelle où l'on accédait par le *sentier de Madame de Courmont*.

Les larmes de saint Martin.

Saint Martin, surpris par l'orage, perdit dans la tempête ses attelages de bœufs, ses bouteilles et ses noix. Il se mit à pleurer et, près de la roche où l'empreinte de ses genoux est encore visible, ses larmes alimentèrent une source qui coula pendant sept ans.

HAYE–DE–ROUTOT (La)

(Seine-Maritime) 155 h. Paris 155 - Rouen 30.

Une chapelle dans un if.

Dans cette localité, à la lisière sud de la forêt de Brotonne,
on peut voir au cimetière deux ifs de 15 m de circonférence
et vieux de plusieurs siècles. L'un abrite une chapelle
et l'autre un oratoire. Le 16 juillet, chaque année, est allumé
un feu de joie dit *Feu Saint-Clair*, en l'honneur du saint
patron de la paroisse, martyrisé au IXe siècle à Saint-Clair-
sur-Epte. Cette coutume locale remonte à 1494.

HENDAYE

(Basses-Pyrénées) 6 933 h. Paris 773 - Saint-Jean-de-Luz 13.

Disparition de mégalithes.

Sur la plage se dressaient, au siècle dernier, des monuments
mégalithiques. Aucun n'a subsisté. Les sorcières, dit-on,
y menaient leur sabbat.

La date de la fin du monde.

Dans un cartouche gravé, au pied de la croix de pierre située
sur le parvis de l'église, la lettre A figure quatre fois, repré-
sentation de la lettre hébraïque Aleph, dont la signification
mystique est : *Dieu commencement de tout*. L'inscription
latine du socle situe dans le temps le double cataclysme
(destruction par le feu et par l'eau) qui mettra fin au monde
actuel. Mais il est précisé que la vie persistera sur terre, en
un lieu unique.

HENRICHEMONT

(Cher) 2 142 h. Paris 199 - Bourges 34.

Le lac privé des fées.

Tout près d'Henrichemont, un lac porte le nom de *lac aux*
Fées. On raconte que les eaux en étaient sacrées et que nul
n'avait le droit de les troubler. Quand on enfreignait cette
règle, les fées provoquaient une violente tempête. Deux
blanches filles de l'air venaient, autrefois, au clair de lune,
se mirer dans le lac. A leur apparition, la nuit semblait

pâlir, et si quelque indiscret cherchait à surprendre le secret
de leur coquetterie, elles se changeaient aussitôt en petites
flammes bleues qui couraient en se jouant sur la surface des
eaux.

Selon la tradition, un *grand géant*, une charrue attachée aux
épaules, a tracé un grand sillon, le fossé de 10 km de long,
de 3 m de large et de profondeur, qui va d'Ivoy-le-Pré à
Henrichemont.

HERBAULT
(Loir-et-Cher) 811 h. Paris 187 - Blois 16.

Meurtre dans l'église.

Un seigneur du lieu entra inopinément dans l'église; ne se
voyant pas rendre les hommages qui lui étaient dus, il
piqua une colère et tua d'un coup d'arquebuse le prêtre qui
se trouvait à l'autel. Après sa mort, la justice divine le
condamna, selon la légende, à revenir et à mener une chasse
infernale. Quiconque s'aventurait au-dehors entendait dans
les airs un bruit étrange de cors de chasse et d'aboiements.
L'âme du seigneur était poursuivie par des démons et par
une multitude de diablotins qui faisaient le même bruit et
menaient le même jeu que ses piqueurs et ses chiens avaient
fait de son vivant. Le souvenir de cette chasse est resté très
longtemps vivace à Herbault.

HERBIGNAC
(Loire-Atlantique) 3 028 h. Paris 455 - Saint-Nazaire 34.

Hurlements au cimetière.

Jusque vers 1870, on poussait des hurlements aux enterrements. Sur le cercueil porté à bras d'homme étaient jetés
un drap blanc et des branches de feuillage.

Un village ensorcelé.

L'*Ami Cortais* est un grand fantôme, de dix pieds de haut,
qui parcourt les landes pendant la nuit en poussant des cris
lugubres. Malheur à celui qui lui répond : il est certain de
perdre la vie. Un lutin, sous la forme d'un bélier égaré, se
joue de la méprise du berger. L'orfraie, par ses cris aigus,

jette l'alarme dans tout un canton et annonce, dans les environs, une mort imminente. La pie, qui nettoie les chemins en renversant le crottin, annonce qu'un mort doit y passer dans peu de jours; les mendiants jettent des sorts. On entend, la veille des grandes fêtes, des réunions de sorciers qui dansent sur les coteaux; on y remarque les traces de leurs pas : l'herbe est foulée en forme de cercle.

HERLEVILLE
(Somme) 158 h. Paris 135 - Amiens 38.

Urbanisme souterrain.
Les cavernes d'Herleville forment un véritable village qui s'étend en un réseau compliqué sous une partie importante du territoire communal actuel. Elles ont servi d'habitations à un clan. Chambres et couloirs ont été creusés dans la craie, à une faible profondeur (1 ou 2 m au-dessous de la surface du sol) avec des outils en silex. Les *rognons* siliceux rencontrés par les mineurs préhistoriques ont été laissés entiers, enchâssés dans le calcaire.

A l'entrée de l'un des couloirs se trouve une indication incisée : c'était là certainement un signe conventionnel destiné à guider les habitants vers un point déterminé. Les parois des couloirs sont lustrées par le frottement, particulièrement aux entrées. On découvrit fortuitement, en 1883, lors du creusement d'une fosse à purin, une chambre dont le

sol était couvert d'une épaisse couche de cendres. La voûte
s'étant effondrée sous la pioche, on n'a pas pu s'assurer de
l'existence (probable) d'une cheminée dans ce lieu. D'innombrables instruments et armes de silex, brisés pour la plupart,
ont été trouvés aux alentours de ces « maisons souterraines »
qui sont incontestablement d'origine néolithique.

HERMENAULT (L')
(Vendée) 788 h. Paris 405 - Fontenay-le-Comte 13.

Les méfaits du fils de Mélusine.

Le château, construit sur une butte entourée d'eau et de
marécages, fut pillé en 1232 par Geoffroy de Lusignan, dit
la *Grand'Dent*, fils de Mélusine (selon la légende). Il fut
ruiné en 1361 par les Anglais, puis en 1432 par les Armagnacs,
et restauré en 1523 par Geoffroy d'Estissac, évêque de Maille-
zais, protecteur de Rabelais, avec lequel il correspondait
régulièrement. L'auteur de *Gargantua* lui envoyait des
plantes rares et des graines pour ses jardins. De nouveau
détruit en 1569 par les Protestants, le château fut rebâti au
XVIIe siècle, par les évêques de La Rochelle, puis détruit et
vendu comme carrière sous le Consulat. Il n'en reste actuellement que la *Tour d'Estissac* et le *Logis des Dames*.

HÉROUVILLETTE
(Calvados) 479 h. Paris 235 - Caen 11.

Un chien et une Dame blanche.

Parmi les fiefs anciens d'Hérouvillette était le fief Dodeman.
Son manoir et ses terres étaient le lieu d'étranges apparitions :
d'abord celle du Dodeman, qui apparaissait, par les nuits
d'hiver, près de l'âtre du manoir, sous la forme d'un chien,
ensuite celle de la *Demoiselle des Jardins*, sorte de dame
Blanche qui ne se manifestait que dans les limites du fief.

HESDIN
(Pas-de-Calais) 3 355 h. Paris 198 - Saint-Omer 50.

Une ville assassinée.

Hesdin, comme Thérouanne, située à 30 km au nord, est

une ville morte ou, du moins, une ville *assassinée :* Hesdin
existe pourtant encore aujourd'hui, mais le lieu dit *le Vieil-
Hesdin,* à 5 km au sud-est de la ville actuelle, témoigne de
la rage avec laquelle les troupes de Charles-Quint s'achar-
nèrent sur une citadelle qui leur avait résisté.

Un jardin à surprises.

Au Moyen Age, Hesdin s'enorgueillissait d'un vaste
palais où comtes d'Artois et ducs de Bourgogne avaient serré
d'immenses richesses. Robert II d'Artois avait entouré le
château en 1295 d'un parc fantastique inspiré de celui
de Palerme, lui-même tout imprégné d'influences arabes :
on pouvait y voir un peuple de statues d'hommes et d'animaux, tandis que s'ébattaient des armées d'automates. Des
jeux d'eau, des salles d'amusements, et les farces les plus
bizarres ou les plus communes émaillaient le jardin. Ainsi,
selon Camille Eulart : « Des automates en costumes de fous
bâtonnaient les visiteurs qui s'approchaient d'eux; on leur
faisait ouvrir une fenêtre et l'une de ces poupées la refermait
après avoir jeté de l'eau à la figure du patient. Les bascules
jouaient un grand rôle dans cette machinerie; des trappes
s'ouvraient sous les pas et jetaient le promeneur dans l'eau
ou dans une fosse emplie de petites plumes qui se collaient
à ses vêtements. Des sacs de farine ou de charbon se déver-
saient sur les têtes; un prie-dieu et un livre de ballades
procuraient des plaisirs analogues aux gens qui venaient
s'agenouiller ou feuilleter; ou se mettant aux fenêtres, on
faisait partir du sol des jets d'eau, d'autres jaillissaient
du seuil de diverses portes, pour « mouiller les dames qu'on
invitait courtoisement à y passer les premières. »
Le 20 juin 1533, l'armée de Charles-Quint arriva sous les
murs de Hesdin. Après un siège de moins d'un mois, la ville
se rend. A moitié détruite par les cinquante canons impé-
riaux, elle est démolie sur l'ordre de Charles Quint. Ce dernier, pourtant, dès l'année suivante, saisi peut-être par le
remords, donnait l'ordre de la rebâtir quelques kilomètres
plus loin, sur ses propres terres. Un petit village existe
aujourd'hui sur l'emplacement même du vieil Hesdin. Mais
il ne demeure de la ville ancienne que des souterrains, des
fondations, des pans de murs et le souvenir de grandes
batailles.

HEUDICOURT
(Somme) 715 h. Paris 147 - Péronne 15.

Le village invisible.

Les habitations cryptiques d'Heudicourt sont assez bien conservées. Il s'agit d'un refuge construit en vue d'échapper aux guerres et aux pillages. Le village se compose d'une galerie longue de 53 m, coudée à angles obtus vers le milieu. L'orifice de ce boyau se trouve aujourd'hui dans la ferme Denglehem. On y accède au moyen d'une échelle par une ouverture en forme de puits. Dans les parois de gauche et de droite de la galerie sont pratiquées 26 chambres d'inégale grandeur. La plus grande de ces chambres était la chapelle de ce hameau obscur, comme l'atteste l'*arcosolium* ménagé dans la paroi du fond.

HIRTZFELDEN
(Haut-Rhin) 515 h. Paris 478 - Guebwiller 34.

Des sarcophages sous l'église.

L'église est construite sur un monticule qui n'a pas son pareil dans toute la région. On y a retrouvé des sarcophages de pierre. Peut-être s'agit-il d'un ancien tumulus.

HOHWALD (Le)
(Bas-Rhin) 588 h. Paris 435 - Sélestat 29.

La tournée d'inspection des rois mages.

Les rois mages, enterrés à Cologne, remontent le Rhin au moment de l'Éphiphanie et arrivent au *Champ du Feu* où ils purifient le lieu de rendez-vous des sorcières et des démons. Celui qui a porté l'or le sème comme du blé. Celui qui a porté l'encens le brûle dans le creux de la main. Celui qui a porté la myrrhe en jette dans l'herbe. Les esprits s'enfuient et se réfugient dans le Hohwald en se pressant les uns contre les autres.

HOMBOURG–HAUT
(Moselle) 4 637 h. Paris 400 - Forbach 16.

Un chêne maléfique.

Le chêne plusieurs fois centenaire qui se dresse dans la
forêt, au centre d'un carrefour, était déjà mentionné au
XVIe siècle sous son nom de *chêne des Sorcières*, dans un document cadastral des archives de Hombourg-Haut. Il était
déjà d'une taille extraordinaire. Il inspire encore une crainte
superstitieuse : les habitants assurent que les alentours
sont infestés de vipères.

HORGUES
(Hautes-Pyrénées) 346 h. Paris 782 - Tarbes 7.

Le mort marchait en tête.

En tête du cortège qui venait chercher le mort chez lui
pour le conduire à l'église, marchait autrefois un clerc, portant la croix, où l'on suspendait une sorte de mannequin
filiforme, de 1,60 m de haut, confectionné avec un cordon
de cire, roulé en torsades, en chaînes à gros maillons, et
qui figurait le mort. Les deux bouts de ce très long cordon
(il avait jusqu'à 60 m) étaient allumés au départ de la maison
mortuaire et éteints en entrant à l'église. Des rubans noirs
ornaient, aux poignets, au cou et aux jambes jointes, le
mannequin (ou *hourquet*), dont, curieusement, les mains
n'avaient que quatre doigts.

HUELGOAT
(Finistère) 2 363 h. Paris 539 - Morlaix 29.

Les métamorphoses de Huelgoat.

La ville de Huelgoat (étymologie : *Huel*, haut, *C'hoat*, bois)
se trouve au centre de la Bretagne, dans la région de l'*Argoat*,
où s'étendait autrefois la grande forêt bretonne légendaire.
Son histoire est résumée dans une complainte locale qui
chante les trois voyages que fit, dans l'Argoat, le Juif
errant : « J'ai vu Huelgoat en forêt, plus tard en prairie ;
je le vois maintenant devenu une belle ville de marché. »

La promenade du roi Artus.

En quittant Huelgoat, on suit la route de Carhaix (N. 164).
A 100 m au-delà d'un pont de pierre, elle croise un ruisseau;
une plaque indique un sentier conduisant, par la rive droite
du ruisseau, à la *grotte d'Artus* et à la fontaine du même
nom. Le chemin continue jusqu'à la *mare aux Sangliers*;
puis au *camp d'Artus*. Cette enceinte celtique forme une
ellipse de 270 × 115 m. Le parapet, parfois, dépasse 10 m
de haut. Une première ligne de défense mesure plus de 1 km
de long sur 350 m de large. Le roi Artus ou Arthur, roi
des chevaliers de la Table Ronde, aurait dormi dans cette
grotte, sur le bas-flanc de pierre. Les fouilles ont mis à jour,
à l'emplacement du camp, des traces de maisons, des poteries, des monnaies.

Les miracles consignés en archives.

A la sortie de Huelgoat, par la rue des Cieux, est la *chapelle
Notre-Dame-des-Cieux* (XVIe siècle). Dans la chapelle on
voit la *croix des Pestiférés*, offerte pendant une épidémie
de variole. Les archives de la paroisse font état de miracles
opérés par la Vierge. On chante encore, lors du *Pardon des
Cieux* (1er dimanche d'août) :

> *O Mari, hor mann zantel*
> *Patronez Huelgoat,*
> *Deut omp hirio d'ho chapel*
> *Vit ho trugarekât*

> *O Marie, notre sainte mère*
> *Patronne de Huelgoat*
> *Nous sommes venus aujourd'hui à votre chapelle,*
> *Pour vous remercier.*

Une jeune fille à délivrer.

Sur la butte au-dessus du gouffre, Dahud avait son château,
le *Kastel Ghibel*. Les ruines d'un ancien manoir étaient
encore visibles à la fin du siècle dernier. Toutes les nuits,
vers minuit, une belle demoiselle revient s'y promener.
L'audacieux qui veut la délivrer risque de voir un serpent
hideux s'enrouler trois fois autour du cou du fantôme.
Si le héros ne crie pas, il pourra libérer la jeune fille; pour le

remercier, elle lui confiera un trésor valant la Bretagne entière.
On croit qu'un souterrain relie le *Château du Gouffre* au
bourg de Huelgoat.

Environs
Querelles à coups de rochers.

Huelgoat est surtout connu par son étonnant chaos de
rochers au milieu duquel coule la *rivière d'Argent*. On en
attribue l'origine au géant Hok Braz. Ce géant serait né
à Huelgoat avant le Déluge. Quand il alla recevoir le baptême
à l'église, il toussa si fort que le bedeau fut renversé et que

les vitraux se brisèrent. Il aurait construit la montagne d'Arrée. Il avait le pouvoir de s'allonger indéfiniment. Il décrocha ainsi la lune avec ses dents et la plaça sur la girouette du clocher de Landerneau. Après des travaux herculéens, il s'enlisa dans le marais de Saint-Michel et sa chute provoqua un tremblement de terre. Les poils de la barbe de Hok Braz servirent, dit la légende, à faire les membrures de l'arche de Noé.

Pour visiter les rochers, on prendra, au nord de la place, la rue des Cendres, par laquelle on atteint le chemin de l'étang. Près du Moulin situé au déversoir, on découvre, dans le lit de la rivière, un amoncellement d'énormes blocs de granit. Une légende, plus récente que celle de Hok Braz, tient ces rochers pour les vestiges d'une querelle de clochers entre les bourgs de Berrien et de Plouyé. Les recteurs eux-mêmes auraient pris part à ce combat. Ils avaient présumé de leurs forces et les pierres tombèrent à mi-chemin sur la paroisse de Huelgoat, formant le *Chaos du Moulin*. Mais comme le recteur de Plouyé avait un tir plus long, il y a plus de blocs sur la rive de Berrien que sur celle de Plouyé. Par le sentier de la rive droite, on parvient à la *grotte du diable*, gouffre au fond duquel gronde un torrent et dans lequel on descend par une échelle de fer.

Plus loin, sur la rive gauche, la *Roche tremblante*, d'un poids de 100 tonnes, pierre d'épreuves et de consultation, oscille lentement lorsqu'on la pousse du doigt à un endroit précis.

La chambre à coucher de la Vierge.

Non loin de là, le *ménage de la Vierge* : c'est dans ce curieux assemblage de rochers que Notre-Dame-des-Cieux avait d'abord sa maison. On a comparé ses blocs au lit où couchait la Vierge, à son chaudron, à son armoire, à son parapluie, à sa marmite et au berceau où s'endormait le *Mabig (petit enfant)* Jésus près du torrent. Un vieil ermite qui vivait jadis dans une hutte proche du *Chaos du Moulin* y aurait vu *Madame Marie*.

Du sang dans la rivière.

En continuant l'*allée Violette*, sur la rive gauche de la rivière d'Argent, on rejoint la N. 164. Sur la droite de cette route, à 1,700 km de Huelgoat, s'ouvre un escalier qui descend au gouffre où la rivière d'Argent se précipite et disparaît. L'eau semble teintée de sang. La tradition y a vu le lieu où Dahud, la fille du roi Grallon, faisait jeter ses amants d'une nuit.

HYÈRES
(Var) 29 061 h. Paris 872 - Marseille 83.

Le remords du fantôme.
A 6 km de la ville, sur le versant méridional de la montagne,  sont les ruines du couvent de l'*Almanarre* qu'habitèrent des religieuses cisterciennes. Le couvent était fortifié pour résister aux intrusions des pirates. Au premier appel de la cloche d'alarme, les vassaux accouraient pour chasser les Barbaresques et secourir les nonnes. Une nuit d'hiver, la jeune abbesse voulut ainsi mettre à l'épreuve la fidélité de ses manants. Le tocsin retentit. Les serviteurs accourus reconnurent qu'on les avait trompés et ils en furent mortifiés. Quelques mois plus tard, quand les Sarrasins débarquèrent vraiment et que retentirent les appels de détresse, personne ne bougea. Le monastère fut mis à sac. Les nonnes se coupèrent le nez pour faire horreur à leurs vainqueurs, mais elles n'en subirent pas moins les derniers outrages. La légende ajoute que, les soirs d'orage, l'abbesse responsable apparaît comme un fantôme, hagarde et angoissée, sur l'emplacement de son couvent. L'*almanarre* est, en langue arabe, un *phare* ou un *feu de vigie*. Ce lieu-dit est l'un des très rares en Provence qui conservent des traces réelles du passage des Barbaresques. On a trouvé sur la colline de nombreuses poteries sarrasines.

Environs
Des menhirs pour un cheval.

Sur une hauteur dominant la vallée de la Valbonne, s'élevait un sanctuaire consacré à Mars Rudianus, le dieu-cheval que l'on rapproche du *Disparter* gaulois, dieu de la vie et de la mort, dont prétendaient descendre les Celtes, du moins selon César. On y a trouvé deux menhirs, aujourd'hui au musée d'Hyères, sur lesquels sont gravés des têtes coupées et un cavalier.

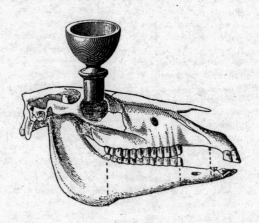

ILE–BOUCHARD (L')

(Indre-et-Loire) 1 500 h. Paris 279 - Chinon 16.

Dolmen privé.

En amont de l'Ile-Bouchard, rive droite, sur le territoire
de Crouzilles, après le faubourg Saint-Lazare et en bordure
de route, se trouve un grand dolmen, dans une propriété
privée, mais visible de la route. Il est moussu, avec des
creux qui représentent la marque des doigts de Gargantua :
celui-ci voulait en lancer les palets sur le menhir troué de
Draché qu'il avait pris pour cible.

Apparition de la Vierge.

Des quatre paroisses de la localité subsistent l'église Saint-
Maurice, sur la rive gauche (tour-clocher hexagonale du
XVe siècle), l'ancien prieuré-cure de Saint-Léonard, avec
ses chapiteaux remarquables et, sur la rive droite, l'église
Saint-Gilles, fondée vers 1069 et qui comporte, sur le côté
nord, un porche roman admirablement sculpté. Certains
prétendent, sans la moindre preuve, que Jeanne d'Arc,
venant du Fierbois pour aller à Chinon, s'est arrêtée là.

Une île du Xe siècle.

Depuis longtemps, ce chef-lieu de canton, qui fut un chef-
lieu de viguerie, s'étend sur les deux rives de la Vienne;
mais son site primitif est une île, aujourd'hui presque entièrement dégagée de constructions. Une charte du Xe siècle

mentionne cette *Vicaria Islensis in Pago Turonice* et le cartulaire de l'abbaye de Noyers, en 1189, appelle le *castrum Insula Buchardi,* du nom du premier seigneur connu, Bouchard 1er, qui vivait à la fin du IXe siècle et qui aurait construit le premier *château de l'Isle.*

ILLE–SUR–TET
(Pyrénées-Orientales) 4 500 h. Paris 955 - Perpignan 24.

Environs
Une femme entre deux combattants.

Le *prieuré de Serrabone* est un bel exemple d'art roman du Roussillon et montre un bestiaire fantastique exceptionnel. On remarque également un bas-relief hermétique, sur la signification duquel il est difficile de se prononcer : une femme vêtue d'un pagne, la poitrine nue, les bras en croix, forme un trait d'union entre un lion et un griffon affrontés. Vis-à-vis de ce groupe se tient un homme nu, tenant un arc à la main.

ILLZACH
(Haut-Rhin) 3 840 h. Paris 472 - Mulhouse 5.

Une femme à suivre, un trésor à trouver.

Tous les sept ans, au lieu dit l'*Étang,* apparaît, dit-on, une jeune fille d'une merveilleuse beauté : la *Dame Blonde.* Elle porte des bijoux d'or d'une grande valeur et tient à la main un trousseau de clés. Celui qui la rencontre se laisse entraîner par elle et, s'il est courageux, l'accompagne jusqu'à

un feu de braises ardentes près duquel la femme disparaît.
Le héros doit alors éteindre le feu et creuser sous les cendres
pour découvrir l'entrée d'un souterrain qui mène à une
salle où l'attendent la *Dame Blonde*, un diable-crapaud et
un démon tout noir. Un trésor doit récompenser celui qui
rompra l'enchantement, s'il ne prononce pas une parole.

INGWILLER
(Bas-Rhin) 2 861 h. Paris 440 - Saverne 24.

A ne pas visiter pieds nus.
L'*Herbe d'erreur* pousse dans les bois du Schnaizwald entre
Ingwiller et Rothbach. S'il marche dessus, le promeneur
perd son chemin. Dans ce cas, il lui faut, pour dissiper cet
enchantement, changer ses souliers de pied.

ISLE–SUR–LA–SORGUE (L')
(Vaucluse) 7 500 h. Paris 717 - Avignon 22.

Une statue-menhir.
On a trouvé dans les environs un *menhir sculpté*, ou statue-
menhir, du type de celui de Saint-Sernin dans l'Aveyron.

Boulangeries spécialisées.
Jadis *Insula* du Venayssin ou de Venisse, dont on fit naturellement la *Venise provençale*, le bourg fut d'abord un
hameau de pêcheurs installé entre les bras de la Sorgue.
Jusqu'au XVIIe siècle, une importante synagogue attestait
l'importance de la colonie juive de l'Isle. On y fabrique
encore le pain azyme.

Environs
Découverte imminente d'un trésor.
A quelques kilomètres au sud, sur la route de Cavaillon,
on voit, au hameau de Velorgues, une tour démantelée et
une chapelle. Ce sont les seuls vestiges d'un bourg important
dès l'époque romaine et jusqu'au XVe siècle. Il fut alors
pillé et mis à sac par les *Routiers*, puis abandonné.
Quand le dernier seigneur de Velorgues dut abandonner

son village (tous les habitants venaient d'être passés au fil de l'épée), il n'eut que le temps d'enfouir son trésor, un veau d'or, énorme et plein, qu'il fit basculer dans un puits. Toutes les tentatives faites pour le retrouver se sont révélées vaines. Mais on y croit toujours et, dans les actes de vente, le vendeur se réserve une part du trésor qu'on ne manquera pas de retrouver.

ISSERPENT
(Allier) 842 h. Paris 359 - Vichy 18.

Danse forcée avec une pierre.

 Les fées visitaient la nuit, dit-on, la *pierre-qui-danse* ou *pierre-qui-tourne*. Elles entraînaient dans des rondes folles les âmes des « filles de mauvaise vie. » Quand les cloches

annonçaient la messe de minuit, la pierre se mettait à
danser.

ISTURITS
(Basses-Pyrénées) 320 h. Paris 780 - Cambo-les-Bains 20.

Un bestiaire magique de l'époque glaciaire.

Proche de Saint-Martin-d'Arberoue, en Basse-Navarre, la
grotte d'Isturits, située au cœur de la zone préhistorique
qui s'étend des Asturies à la Dordogne et se prolonge le long
des Pyrénées jusqu'en Ariège, a livré aux archéologues une
ample collection de bas-reliefs et d'objets sculptés, du plus
grand intérêt artistique. Ces trouvailles ne le cèdent en rien
à celles des Eyzies ou d'Altamira par la perfection technique
des objets découverts, qui figurent de nombreuses espèces
animales, dont certaines, depuis longtemps, sont éteintes.
Le sujet prédominant de ce bestiaire, qui servait à des rites
magiques, est le cheval, proie favorite des chasseurs magda-
léniens. On y a reconnu la silhouette du petit cheval de l'ère
quaternaire, l'*equus celtius*, dont les lointains descendants,
encore à demi sauvages, galopent dans les landes du Pays
basque; on les nomme, en basque, *pattoka*. Un grand bas-
relief représentant un renne a été moulé sur l'original d'Isturits; il est conservé au musée de Bayonne.

ISTRES
(Bouches-du-Rhône) 8 009 h. Paris 734 - Arles 40.

Grecs et Romains.

Istres, qui commande tout l'Étang de Berre, est une ancienne
colonie massaliote du nom d'*Astromela*. La colline Saint-
Étienne a révélé la présence d'un poste romain, *Vulturno*.
Aux abords mêmes de la ville vient d'être dégagé un nouvel
oppidum, grec celui-là, connu sous le nom d'*oppidum de
Castellan*.
Clef de tous les chantiers de fouilles de l'Étang de Berre,
Istres a réuni dans son musée tous les documents et objets
concernant les *oppidum* voisins.

ITXASSOU
(Basses-Pyrénées) 1 176 h. Paris 764 - Bayonne 25.

Un coup de pied de Roland.

A vingt minutes environ d'Itxassou, sur la rive gauche de la
Nive, au bord même de la rivière, on peut voir le *Pas de
Roland*, dans un défilé nommé encore au XIVe siècle *Porte
Dangereuse (Athegaitzeta)*. C'est un rocher dans lequel passe
un ancien chemin, par une ouverture que le paladin aurait
pratiquée d'un coup de pied.

A cette époque, un chemin carrossable passait sous l'arche
du rocher, allant de Bayonne à Saint-Jean-Pied-de-Port.
Il a dû être emprunté par les pèlerins se rendant à Saint-
Jacques-de-Compostelle et venant de Saintonge, du Poitou,
de Bretagne. Ils traversaient la Gironde à Blaye.

Environs
La résidence d'été du diable.

Au *jardin d'Enfer*, dans un ravin presque inaccessible, dit
inferno sobaratzia, poussent des fleurs très rares dans la
région : lis hépatiques, mousses et fougères. C'est le diable,
dit-on, qui s'est choisi là une résidence d'été. Il y a semé
des graines merveilleuses. Celui qui s'y aventure s'expose
à être changé en pierre.

JABRUN

(Cantal) 302 h. Paris 528 - Saint-Flour 38.

Procès sous une pierre.

Un monument composé de trois pierres porte le nom de *caverne de Saint-Pierre*. Les affaires litigieuses étaient autrefois confiées à des arbitres, qui rendaient la sentence sous un grand ormeau près des pierres. Le seigneur du lieu, mécontent, détruisit l'arbre et en fit la boiserie d'un appartement du château qui s'appela la *Chambre de la Justice*.

JASSANS–RIOTTIER

(Ain) 1 125 h. Paris 441 - Lyon 33.

Une fée meurtrière.

Sur les coteaux qui bordent la Saône, se dresse une *poipe (butte)* sur laquelle une fée file son lin, la nuit. Elle est sans voiles, et s'empare des nautoniers, pour les noyer en les faisant mourir de plaisir. C'est du moins ce que l'on racontait à la veillée.

JASSERON
(Ain) 610 h. Paris 430 - Bourg 7.

Ne tirez pas sur les lutins.
Dans le bois de Tharlet se réunissaient, autour d'un chêne,
des esprits appelés *Senegougues*. Un jour, un fermier déchar-
gea son fusil de chasse sur eux; il entendit alors une excla-
mation humaine. Les Senegougues ne se sont plus guère mon-
trés depuis 1815. L'origine de leur nom se trouve certainement dans une déformation du mot *synagogue*.

JAVOLS
(Lozère) 511 h. Paris 540 - Mende 28.

Un monstre cuit au four.
Ce village fut autrefois la capitale florissante des Gabales,
sous le nom *d'Anderitum*, mais elle succomba sous les coups
de Chrocus, chef des Alamans. L'histoire a vite fait place à
la légende, et le destructeur est devenu tout naturellement
un monstre reptilien, le *Cougobre* (ou *coulobre*, couleuvre),
qui exigeait chaque jour d'être nourri de chair humaine.
Les habitants réussirent enfin à le capturer et l'enfermèrent
dans un four qu'ils mirent à feu pendant trois jours et trois
nuits. Mais le monstre était parvenu à entraîner le chau-
fournier, qui, dit-on, trouva le temps de proférer de redou-
tables prophéties.

JAXU
(Basses-Pyrénées) 241 h. Paris 801 - Bayonne 60.

Miracle météorologique.
On raconte un prodige qui se serait déroulé sur la fin du
XIXe siècle. La jeunesse de Jaxu avait organisé, en l'absence
du curé, une fête quelque peu gaillarde. Le curé l'apprit et
les menaça de la vengeance du ciel. Aussitôt, dit-on, alors
que la moisson battait son plein, un nuage s'amassa sur les
champs et la grêle ravagea les blés. Le fait que Jaxu possède
encore la maison des ancêtres basques de saint François-
Xavier explique peut-être, sinon ce miracle météorologique,
du moins la crédulité de ses victimes.

JOIGNY
(Yonne) 7 300 h. Paris 147 - Sens 30.

Femmes battues pour la Saint–Vincent.

Saint Vincent est fêté chaque année par les vignerons et les
tonneliers. On chantait autrefois, à cette occasion, une
complainte dont voici un couplet, qui laisse entendre l'usage
que faisaient quelquefois les « Maillotins » de leur maillet :

> *Et vous, femmes, qu'à de mauvais maris*
> *Il ne faut pas vous réjouir*
> *Dans une bonne année*
> *Car vous aurez le dos talé*
> *Et la tête cassée*
>
> Refrain :
>
> *Saint Vincent, notre bon patron,*
> *Mouille, mouille, mouille*
> *Mouille-nous les dents.*

Une fête est célébrée tous les ans dans la forêt d'Othe, le
lundi de la Pentecôte.

JONQUIÈRES
(Vaucluse) 2 354 h. Paris 682 - Orange 8.

On noyait les lumières.

A l'équinoxe de printemps, les *tavelleuses*, ou jeunes filles
travaillant aux moulins à soie, posaient sur l'eau de la
rivière des radeaux entourés de guirlandes et de branches
de buis, y plaçant deux poupées et des coquilles d'escargots
transformées en lampes à huile. Elles disaient *nega dilume*,
noyer les lumières. A cette date, en effet, cessait le travail
à la lumière artificielle. Mais le rite est certainement plus
ancien. Derrière l'interprétation récente, c'est le mythe
solaire qui est ici caché.

JOSSELIN
(Morbihan) 2 328 h. Paris 433 - Vannes 40.

Une statue obstinée.

Un laboureur, ayant remarqué un roncier toujours vert,
fouilla sous ses racines et trouva une statue de bois de la

Vierge. Il l'emporta chez lui. Le lendemain, la statue était
retournée dans le roncier. Le fait se renouvela plusieurs fois;
on renonça à déplacer la statue. Un pardon fut institué,
à Notre-Dame-du-Roncier. Il est célébré le jour et le lendemain de la Pentecôte, ainsi que le 8 septembre. On vénère
dans la basilique un fragment de la statue miraculeuse,
brûlée pendant la Révolution. La nouvelle statue, couronnée
en 1868, est portée triomphalement en procession les jours
de pardon. On a appelé le pardon de Josselin le *Pardon des
Aboyeuses*, parce que des épileptiques y furent guéries
maintes fois devant la statue de Notre-Dame-du-Roncier,
à partir de 1728.

L'église Notre-Dame-du-Roncier, qui conserve des vestiges
d'une architecture romane du XIIe siècle, possède un buste
de saint Étienne en bois argenté, invoqué contre les maladies du cuir chevelu.

Environs

Souterrain avec chambre chauffée.

A 1 km de Josselin, signalons une chambre souterraine creusée dans le schiste, de forme ovale, longue de 3,30 m; une
ouverture en forme de cheminée est fermée au sommet par
un bloc de quartz recouvert de terre. A l'intérieur, on a
trouvé sept gros cailloux de quartz rangés en cercle. Il s'agit
d'une crypte antérieure à l'époque romaine.

JOUARRE
(Seine-et-Marne) 2 175 h. Paris 67 - Coulommiers 20.

Une église mérovingienne.

Un monastère fut fondé au VIIe siècle, à Jouarre, sous le
règne de Dagobert. Au IXe siècle, l'abbesse Ermentrude y
déposa les reliques de saint Potentien, évêque de Sens; ce
fut l'origine du pèlerinage qui existe encore aujourd'hui,
le lundi de Pentecôte. On y porte en procession les châsses
des saints et des saintes dont les reliques furent offertes à
l'Abbaye au cours des siècles.

On visite encore la crypte construite à la fin du VIIe siècle;
c'est un des rares monuments mérovingiens subsistants.

Cette crypte est une partie de l'église cimétériale, contenant
plusieurs étages de sépultures, et qui s'étend sous la place
Saint-Paul, sur une longueur de 28 m. C'était un mausolée

familial; elle contient les tombeaux de la famille fondatrice
du monastère. Le sarcophage le plus remarquable est celui
de la première dame abbesse, sainte Telchide, qui est un
sobre et merveilleux chef-d'œuvre de sculpture décorative.
On remarque dans cette crypte des colonnes gallo-romaines
(albâtre, porphyre, cipolin) qui proviennent sans doute de
temples païens, situés à Jouarre, ou dans les environs. Il y
a, dans le quartier de la Pierre, un menhir caractéristique.
Au-dessus de ces colonnes sont de curieux chapiteaux en
marbre blanc des Pyrénées, sculptés au VIIe siècle. Sur l'un
d'eux figurent l'ancre (symbole de l'espérance) et la couleuvre (symbole de la prudence).

Les tombeaux sont placés sur une estrade (signe de sainteté)
et tournés vers l'Orient. En ces âges de foi, on respectait
la coutume qu'observaient déjà les Romains, les Celtes, les
Latins (culte solaire) de disposer ainsi les sépultures. Les
corps, lors du Jugement dernier, seraient prêts à se lever à
l'appel du Christ.

JOUÉ–DU–BOIS

(Orne) 610 h. Paris 238 - Alençon 37.

La statue qui nourrit les moutons.

On allait en pèlerinage, le 2 juillet, à la chapelle de Joué-du-
Bois. Elle est bâtie à l'emplacement d'un sanctuaire plus
ancien.

A l'ombre d'un des menhirs, un mouton délaissant ses compagnons, s'était égaré, oubliant de paître. Comme il prospé-
rait cependant, on creusa sous la roche : on découvrit la
statue de la Vierge, à qui est dédiée la petite chapelle. Cette
légende date des guerres de Religion.

JOUÉ–DU–PLAIN

(Orne) 284 h. Paris 207 - Argentan 12.

Un cœur tendre.

L'actuelle ferme Baritaur est un ancien manoir dit la *Maison Rouge de Chantelou*. Un sire de Chantelou tua sa
femme infidèle, recueillit son sang, arracha son cœur qu'il
fit cuire et fit recouvrir un siège avec sa peau. Puis il invita
le séducteur à dîner et lui dit à la fin du repas : « Tu viens

de manger le cœur de ta maîtresse et tu es assis sur sa peau. »
Puis, l'ayant tué, il mélangea son sang à celui de sa femme et
en badigeonna la façade de son manoir.

JOUHET
(Vienne) 539 h. Paris 334 - Montmorillon 9.

Christ exotique.

Sur la paroi de la chapelle funéraire de l'église, neuf personnages, la Vierge, l'Enfant, Joseph, les Mages, les bergers,
l'Ange ont le visage noir.

Il est probable que l'auteur a voulu souligner leur origine
exotique, car, sur la paroi opposée, les visages, occidentaux
cette fois, sont parfaitement clairs.

Farandole de curés.

Les *fadets* vivaient dans l'immense grotte de la *roche de
Clairbault* et venaient, la nuit, danser la farandole, déguisés
en petits curés, sur les branches de la Chevretterie.

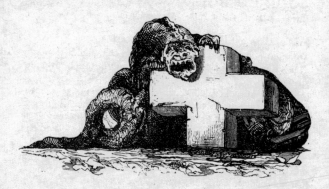

Un serpent diabolique.

Le château de la Fraudière est situé près du hameau de Rillé,
sur la route de Jouhet à Haims. En ruines, c'est un véritable nid à légendes. Jadis, un serpent volant y avait choisi
pour repaire les souterrains. Il dévastait la région. Un soldat
le tua; mais, une goutte de sang étant tombée sur lui, il
mourut sur-le-champ.

JOUY-LE-POTIER
(Loiret) 659 h. Paris 136 - Orléans 20.

Pour avoir des enfants.

Les habitants de Jouy allaient autrefois à la *Fontaine de Sainte-Corneille* pour demander une naissance.

Si un enfant présentait des signes de faiblesse ou se rongeait les ongles, la mère trempait dans l'eau les vêtements de l'enfant.

Guérisons et sorcelleries.

Les guérisseurs de Jouy employaient cette formule propre à chasser le chancre : « Ah ! chancre, au diable ! » Puis ils soufflaient dessus et se signaient de la main gauche. Certaines familles passaient pour s'adonner à la sorcellerie et pour provoquer des orages sur la région, il y a encore peu d'années. On raconte que trois personnes se rendirent à l'étang de Boisgibaut, dont on dit que les charmes sont plus malfaisants que ceux de toutes les autres pièces d'eau de la région. Avec de grands battoirs, ils firent jaillir l'eau. L'orage et la tempête se déchaînèrent; le soleil, de frayeur sans doute, n'osa reparaître de trois jours.

On fabrique des diamants.

Aux environs de Jouy se trouve un étang où se rend, le 13 mai toute la gent rampante de Sologne (orvets, serpents, etc.). Ils se rencontrent, s'entortillent et bavent tous un liquide brillant qu'ils pétrissent jusqu'à formation d'un gros diamant. Chacun se traîne sur la pierre ainsi obtenue afin de la polir; elle est ensuite jetée à l'eau. Il arrive qu'on la repêche.

JUGAZAN
(Gironde) 286 h. Paris 554 - Bordeaux 37.

Les lions dans l'église.

Parmi les nombreuses églises girondines à figuration fantastique, l'église romane de Jugazan, qui date du XVIe siècle, offre un thème original : celui de onze lions dont la queue en panache vient s'enrouler autour du cou. On ignore la signification de ces emblèmes. A voir également, des oiseaux à long bec se mordant les pattes.

JUIGNÉ–DES–MOUTIERS
(Loire-Atlantique) 516 h. Paris 350 - Châteaubriant 18.

Fées ou druides ?

La *fontaine aux Fées*, dite parfois *fontaine aux Ermites*,
jaillit entre deux arbres, près des vestiges d'un tumulus en
partie effondré, dont les galeries bouleversées sont appelées
elles-mêmes *grottes aux Fées*. Le caractère druidique de ce
tumulus est fortement contesté.

JUJURIEUX
(Ain) 1 612 h. Paris 459 - Bourg 28.

Une attente éternelle.

Dans les ruines de Châtelard et dans les prés voisins erre une
Dame blanche. Elle attend le retour de son mari, tué lors des
guerres de Religion, dans un combat où il vainquit les
confédérés bernois et genevois qui voulaient conquérir le
Bugey et y imposer la Réforme. Le plus fort de l'engagement
eut lieu entre la prairie d'Oizia et le hameau de la Courba-
tière, à l'endroit où l'on a érigé une croix commémorative.
L'écuyer du seigneur porta à la châtelaine les vêtements
ensanglantés de son époux, dont le corps ne put être retrou-

vé. Depuis, la dame du Châtelard vient errer toutes les nuits
dans la prairie d'Oizia, vêtue d'une robe blanche. Elle descend les rochers abrupts que domine le Châtelard, franchit
le ruisseau, se dirige lentement à travers la prairie. Puis elle
se penche sur la fontaine d'Oizia et lave des vêtements ensanglantés. Aux premières lueurs du jour, elle reprend le chemin
du Châtelard.

JUMIÈGES
(Seine-Maritime) 1 088 h. Paris 168 - Rouen 28.

Les Énervés de Jumièges.
La forêt de Jumièges cerne le village d'Yainville, dont
l'église, élevée au XIᵉ siècle, est exactement semblable à celle
de Newhaven en Angleterre.
Plus loin, sur un éperon faisant face aux blanches falaises
qui supportent la forêt de Brotonne, se dressent les célèbres
ruines de Notre-Dame-de-Jumièges. Cette église, consacrée
le 1ᵉʳ juillet 1067 par l'archevêque de Rouen, Maurille, en
présence de Guillaume le Conquérant et de sa cour, a été
édifiée sous la direction de Robert Champart de 1040 à 1067;
dès 654 s'élevait à Jumièges une abbaye fondée par saint
Philibert sous le règne de Clovis II. Selon la légende, elle
recueillit alors les deux fils jumeaux du roi, qui, révoltés
contre leur mère, Bathilde, eurent les tendons des bras et
des jambes coupés par le bourreau et furent abandonnés
dans une barque au fil de la Seine. On désigna les victimes de ce supplice sous le nom d'*Énervés de Jumièges*.
Leur tombeau est encore visible aujourd'hui.

Le cœur d'Agnès Sorel.
Un petit musée abrite une importante collection lapidaire.
On peut notamment voir la dalle de marbre noir qui recouvrait le cœur de la célèbre *Dame de Beauté*, Agnès Sorel,
qui séjourna dans la région avec le roi, et mourut en couches,
le 9 février 1450, à Mesnil-sous-Jumièges, dans un manoir
qui de nos jours est transformé en ferme.

Le cloître a disparu.
Le cloître de l'abbaye pose une énigme archéologique singulière. Démonté, pierre à pierre, au début du XIXᵉ siècle,

par ordre de Stewart de Rothsay, ambassadeur d'Angleterre en France, il aurait été transporté outre-Manche. Mais, depuis cette époque, nul n'a jamais su ce qu'il était devenu.

Mort collective à l'abbaye.

Le successeur de Philibert, Alcadre, gouvernait l'abbaye, qui déjà comptait quatre cents moines, quand un songe l'avertit de son prochain décès. Terrifié à l'idée que ses frères pourraient se damner s'il les quittait, il vit, la nuit suivante, l'ange gardien du monastère toucher d'une baguette les religieux. Le lendemain, ces prédestinés rendaient leur âme à Dieu en chantant l'office.

La mascarade du Loup Vert.

La cérémonie du *Loup Vert* était célébrée le 23 juin par la *Confrérie de Saint-Jean*, qui se rendait au hameau de Conihout, où devait obligatoirement être élu le *Maître nouveau* qui prenait le nom de Loup Vert. Celui-ci était vêtu d'une vaste houppelande verte et d'un bonnet conique, très haut, de la même couleur. Le cortège, au bruit des pétards et des mousquetades, se rendait au lieu dit *le Chouquet* (aujourd'hui place Roger-Martin-du-Gard), qui est actuellement en face des ruines de l'abbaye de Jumièges. La confrérie était reçue par le clergé, puis conduite à l'église paroissiale au son des cloches. Après vêpres, le cortège se rendait chez le Loup Vert, qui devait offrir un repas maigre. Un jeune garçon et une jeune fille, parés de bouquets et de rubans, allumaient le feu d'un bûcher, autour duquel, au son des clochettes, on tournait en chantant un *Te Deum* puis l'hymne de Saint-Jean. Enfin, la Confrérie courait autour du feu en poursuivant le *Maître de l'an prochain*, qui devait être enveloppé et saisi par les poursuivants à trois reprises. Le futur Loup Vert, une baguette à la main, se défendait contre les chasseurs. Saisi par ces derniers, il était emporté par eux, puis, symboliquement, jeté dans le bûcher. Le lendemain, on se réunissait au Chouquet, on y apportait un immense pain bénit à plusieurs étages, surmonté d'un bouquet et d'une grande asperge ornée de rubans. Cette coutume a été partiellement reprise depuis quelques années.

Un trésor sous l'abbaye.

Dans les ruines de l'abbaye de Jumièges, un trésor aurait été caché, sous la Révolution. Il faudrait le chercher, dit-on, autour de l'if du cloître. Selon certains, il s'agirait d'une statue en or de saint Philibert; elle aurait été enterrée dans la forêt.

Environs
Un loup domestique.

L'âne de l'abbaye de Pavilly, à cinq lieues de Jumièges, était choyé par les nonnes, et il le méritait en accomplissant à merveille le travail de confiance dont il était chargé; il transportait jusqu'à Jumièges le linge lavé par les nonnes de Pavilly et s'en allait tout droit le déposer aux pieds de saint Philibert, rapportant au retour le linge sali que les nonnes devaient laver. Il advint qu'il ne reparut pas au monastère. L'abbesse de Pavilly, sainte Austreberthe, prit sa crosse et s'en alla sur le chemin de Jumièges. Dans la forêt, l'âne gisait, dévoré par un grand loup hirsute qui tenta de se réfugier d'un bond dans les futaies. L'abbesse le somma, au nom de Dieu, de remplacer l'âne. Le loup se rendit à sa voix et, de ce jour, il fut soumis. La légende ajoute qu'il obtint miséricorde et qu'il osa un jour poser sa patte sur le genou de saint Philibert.

On verra, au musée lapidaire, une clef de voûte illustrant

cette légende. Elle montre le loup qui appuie ses deux pattes de devant sur les genoux du saint et qui porte sur son dos le sac de linge du monastère.

JUNCALAS
(Hautes-Pyrénées) 227 h. Paris 800 - Bagnères-de-Bigorre 15.

Préparatifs pour mourir.

Lorsqu'une jeune fille quittait la maison familiale pour se marier, elle emportait dans son trousseau le *Candêléo*, cordon de cire bénite qui servait à l'occasion des enterrements. Depuis une vingtaine d'années, cela ne se pratique plus guère.

KAYSERSBERG

(Haut-Rhin) 2 459 h. Paris 436 - Colmar 11.

Environs
L'assassinat des Clarisses.

Une légende entoure de mystère le château de Kaysersberg.
Wolfgang Rab, brutal et libertin, y régnait, tandis que son
frère était prieur du monastère des Clarisses d'Alspach.
Wolfgang aurait jeté son dévolu sur la fille de son régisseur,
Claire, mais celle-ci désirait entrer en religion, précisément
chez les Clarisses. Elle profita d'une absence du maître pour
se rendre au couvent. Lorsque Rab apprit la nouvelle, il
résolut de se venger de son frère et de ses sœurs, qu'il accusa
d'avoir favorisé la décision de Claire. Profitant d'une révolte
de paysans, il participa au sac du couvent et n'y trouva que
Claire, qui venait de mourir, et son frère, qu'il poignarda.
Puis il disparut.

Longtemps après, un pénitent vêtu de bure et traînant sur
ses épaules une lourde croix fit son entrée dans la ville et se
dirigea vers le monastère d'Alspach. Les Sœurs le reçurent
charitablement et lui permirent d'élever un ermitage à
proximité. Ce ne fut qu'à sa mort qu'on apprit que c'était
Wolfgang Rab, ancien seigneur du château.

Assomption d'un vendangeur.

Sur l'une des hauteurs qui surplombent la Weiss, la *chapelle de l'Homme Volant* est ainsi nommée parce qu'un vendangeur, après avoir mangé une grappe de raisin, aurait été élevé dans les airs et déposé à cette place.

KERLOUAN

(Finistère) 2 745 h. Paris 600 - Brest 40.

Le souvenir d'un guerrier normand.

Le village de Kervran (*maison de Bran*) rappelle le souvenir du guerrier Bran, tué au combat de Kerlouan, qui opposa au Xe siècle Even le Grand aux Normands. Un vieux chant raconte les malheurs de Bran :

> *E maez ar stourm, e Kerloan*
> *Zo un dervenn a-uz ar c'hlan*
> *Un derven, e-lec'h m'argilas*
> *Ar Zaozon 'raok dremm Youenn-Vras.*

« Sur le champ de bataille, à Kerlouan, il y a un chêne qui domine le rivage; il y a un chêne au lieu où les Saxons prirent la fuite devant la face d'Even le Grand. »

Monuments mégalithiques.

Menhir de Kervizouarn.
Menhir de Kermarquel.
Dolmen de Quelorn.
Dolmen de Creac'hguennou.
Très belle pierre branlante de Kerisquillien.

Environs

Les fêtards changés en pierres.

Des gens revenaient de noces, un soir, fort gais. Ils croisèrent un prêtre qui portait le saint viatique à un malade. Au lieu de se mettre à genoux, les impies dansèrent une ronde autour du prêtre. Ils furent changés en pierres, qu'on voit encore, rangées en cercle, au *cromlech* de Kerlouan. Cette légende se retrouve en plusieurs autres points de Bretagne.

KIENTZHEIM
(Bas-Rhin) 871 h. Paris 437 - Colmar 11.

Des ours mobilisés.

Dans le château du Haut-Kœnisgsbourg, le donjon est entouré
d'un fossé de maçonnerie qui servait de fosse aux ours.
Les assaillants, une fois les remparts franchis, devaient
affronter les fauves avant d'attaquer le dernier bastion où
se retranchait le seigneur.

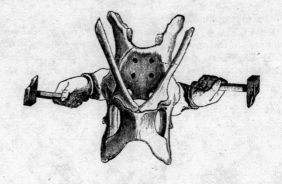

LACOSTE
(Vaucluse) 253 h. Paris 712 - Apt 15.

Une carrière gallo-romaine.
Des carrières qui abondent sur le plateau de ce village perché, et dont les pierres ont servi à la construction du *pont Julien*, pont romain jeté sur le Calavon, on a extrait un autel dédié au dieu Sylvain. Ce dieu gallo-romain dont on a relevé une quarantaine de traces dans l'ensemble de la Narbonnaise, est généralement associé au « dieu au maillet » Sucellus. Et ce maillet paraît bien, quand il s'agit d'une figuration votive trouvée en place dans une carrière comme ici, représenter la massette des tailleurs de pierre. Quelques statues bizarres parsèment encore les buissons du plateau. Récoltées depuis longtemps par les antiquaires et vendues comme très anciennes, elles sont l'œuvre d'un certain Malachier, meunier et sculpteur, qui demeurait au moulin, sur la carrière qui domine le château.

Le château du marquis de Sade.
Le château du marquis de Sade, malheureusement ruiné, domine l'admirable vallée aptésienne. Seule subsiste la grande tour du sud-est. Son propriétaire actuel, M. Bouer, qui joua toute son enfance dans ces ruines, a entrepris de le reconstruire pierre à pierre. Mais il ne sera probablement pas possible de reconstituer les 42 pièces que comptait le château en 1772, ni le pont-levis qui permettait d'y accéder.

LAFARRE

(Haute-Loire) 223 h. Paris 575 - Le Puy-en-Velay 44.

Un hôtel souterrain.

A la Villette, sous le mont Tartas, existait, selon la légende, un veau d'or enfoui par les druides lorsque César cerna le camp d'Antoune. En faisant des fouilles dans ce lieu, on y a découvert 6 chambres et, dans chacune, des lits taillés dans la pierre volcanique. De plusieurs côtés partaient des souterrains écroulés.

Selon une autre tradition, un ou plusieurs souterrains partaient de la *tour de Mariac* (ou Marillas) forteresse avancée. Ils protégeaient le château de Lafarre et rejoignaient en passant sous la Loire, le château de Soubray. Dans l'un de ces souterrains aurait été cachée une marmite selon les uns, une cloche selon les autres, qui serait remplie d'or.

LAGNES

(Vaucluse) 1 006 h. Paris 705 - Avignon 34.

Sacrifice annuel à l'église.

Il y a encore peu de temps, au cours de la messe de Noël, avait lieu un lâcher d'oiseaux dans l'église. Très anciennement, un oiseau (le plus petit de tous, c'est-à-dire le troglodyte) était sacrifié, pour la purification du lieu saint. On se contenta ensuite de l'apporter accroché au bout d'une perche et de le présenter au prêtre qui lui rendait sa liberté. Ce simulacre d'un sacrifice animal était commun à beaucoup de villages de Provence.

LAGORCE

(Ardèche) 632 h. Paris 626 - Aubenas 20.

Contre la jaunisse.

On a ici une façon très particulière de soigner les jaunisses graves, curieusement nommées, dans la région *noires* ou *grises*. Le malade entre dans une ferme et y mange un morceau de fromage de chèvre, de *pelardon*, que lui offre la fermière. Il y boit également une tisane d'herbes (millepertuis, thym, feuilles de chêne). Il doit enfin porter pendant neuf jours sur l'estomac un cataplasme de verveine sauvage hachée et frite avec des blancs d'œufs.

LAGRAND
(Hautes-Alpes) 192 h. Paris 750 - Gap 47.

Un lézard à tête de chat.

L'*Arassas* était un animal de couleur grisâtre, qui avait le
corps d'un lézard et la tête d'un chat. Il habitait les ruines
et son regard tuait les indiscrets.

Patchitchatcha et Uillaout.

On prétendait autrefois qu'il existait dans la montagne de
Garde et au Mont Buillat deux êtres extraordinaires, le
Patchitchatcha et l'*Uillaout*. Le premier était enveloppé
d'un grand manteau clair bordé de grelots et portait un
chapeau rouge. Il enlevait les enfants qui n'étaient pas
sages. Le second était pire encore parce qu'il n'avait qu'un
œil énorme et brillant au milieu du front.

LAGUIOLE
(Aveyron) 1 366 h. Paris 557 - Rodez 56.

Chacun sa montagne.

Dans ce massif de l'Aubrac, la région de Laguiole conserve
un particularisme intéressant. Chaque montagne, généralement au-dessus de 1 000 m, appartient à un seul propriétaire qui pratique l'élevage et l'industrie fromagère. Au
milieu de chacune d'elles, le *burou* est un bâtiment à demi
enfoui dans le sol, dont le toit descend jusqu'à terre. L'habi-
tation se compose d'une pièce en terre battue, servant à la
fois de cuisine et d'atelier de fabrication des fromages, et
d'un grenier où couche le personnel. Quatre ou cinq hommes
vivent là, pendant quatre mois d'affilée, dans la solitude :
ce sont le *roul*, jeune garçon à tout faire, le *bédélier* ou
gardien des veaux, le *pastre*, gardien de vaches, et le *cantalès*
ou *buronnier*, responsable de la fabrication des fromages.
Celle-ci n'a guère varié depuis le ${IV}^e$ siècle. On visitera avec
profit le musée de Laguiole, très riche en objets folkloriques
concernant ce genre de vie.

LAIFOUR
(Ardennes) 557 h. Paris 263 - Revin 10.

Les pierres infidèles.

Les trois énormes roches dites *Dames de Meuse*, qui surplombent le fleuve, sont les trois filles du seigneur de Rethel :
Hodierne, Berthe et Ige. Pendant que leurs époux suivaient
Godefroy de Bouillon en Terre sainte, elle manquèrent à
la fidélité conjugale et Dieu les changea en trois rochers
rivés les uns aux autres.

Selon une autre légende, le seigneur de Montcornet, en
partant pour la croisade, laissa son château à la garde de
sa femme et de ses deux nièces. Un seigneur du voisinage,
du nom de Neyrac, voulut s'emparer des biens de Montcornet
et déclencha les hostilités. Mais, un beau jour, la dame de
Montcornet apprit que son mari revenait de la croisade et
alla au-devant de lui. Neyrac poursuivit la petite troupe,
se sentant en grand danger d'être châtié pour sa félonie. Il
demanda au diable son aide. Celui-ci provoqua un tremblement de terre qui ensevelit la châtelaine et ses compagnons. Arrivant sur les lieux, le seigneur de Montcornet
fut surpris de les voir aussi bouleversés et un berger lui
expliqua ce qui était arrivé. Neyrac eut la tête tranchée.
Quant à la châtelaine, Dieu permit, selon la tradition,
qu'elle sortît saine et sauve de terre, avec sa suite, après
une prière de l'aumônier. Le rocher en forme de têtes que
l'on voit au flanc de la montagne perpétuerait le souvenir
des dames de Montcornet.

LALINDE
(Dordogne) 2 618 h. Paris 523 - Bergerac 22.

Un monstre a bu la rivière.

En face de Lalinde, sur une colline de la rive gauche de la
Dordogne, un énorme dragon vivait caché dans une caverne.
Pour boire à son aise, il posait une patte sur la rive gauche
et l'autre sur la rive droite. Sa queue plongeait dans la
rivière et lui servait d'arc-boutant. Il asséchait la rivière,
dévorait les moutons, les bergers et les bateliers. Il fendit
de sa queue le fond, à l'endroit où l'on voit aujourd'hui le
trou sans fin de *la Gratusse*. Il fut tué par saint Front, et
les rochers dit-on, sont encore teintés de son sang. On peut

voir sur la colline la chapelle de Saint-Front-de-Colibri
(XIIᵉ siècle) qui commémore la victoire du saint. Le nom
de la chapelle rappelle que saint Front a également débarrassé
la région du serpent Colibri qui la terrorisait.

LAMANON
(Bouches-du-Rhône) 670 h. Paris 745 - Arles 49.

Un village préhistorique.

Les grottes de Calès sont, dit-on, les restes d'un village
sarrasin. Elles portent le nom d'un chef arabe, *Kalès*. Il
s'agit en réalité d'un des plus impressionnants sites néoli-
thiques de la région. Les rochers accumulés ici, au milieu
d'une végétation luxuriante, sont tous évidés, creusés,
aménagés en habitations troglodytes. Ces grottes naturelles
ou taillées par les hommes sont pour la plupart accessibles
par des escaliers glissants, à peine larges pour un pied nu.
Les autres l'étaient par des échelles de branchages. Les
chambres ne communiquent que rarement entre elles. Le sol
des habitations est de pierre lisse. Des niches parsèment
les murs. Des fenêtres, larges et rectangulaires comme des
baies modernes, permettaient de respirer et de voir venir
l'ennemi. Ici vécurent, après les hommes du néolithique, des
populations périodiquement obligées de se réfugier dans la
montagne. Mais les fouilles n'ont pas encore tout révélé
de la vie quotidienne de ces troglodytes.

Un platane géant.

Le village n'a guère d'histoire (il est dû en grande partie
au seigneur de Panisse, qui distribua ses terres et dont on
voit encore le château) et ne présente comme curiosité
que son *platane*, le plus gros de France, dit-on (il a 7 m
de circonférence).

LAMAZIÈRE–HAUTE
(Corrèze) 169 h. Paris 451 - Ussel 26.

La fée a laissé son fauteuil.

Une fée voulait être bien assise pour faire paître son troupeau. Elle construisit le banc de la *Peyro Fade*. Elle apporta
la dalle sur sa tête et les piliers dans son tablier. Ce dolmen

est également connu sous le nom de *Peyro Coupeliero*
(pierre servant à couper). Il se compose d'une table de
gneiss non taillé, mesurant 3 m de longueur sur 2 m de
largeur et 70 cm d'épaisseur, supportée par trois blocs de
pierre brute.

LAMBESC
(Bouches-du-Rhône) 2 109 h. Paris 752 - Aix-en-Provence 21.

Un mari furieux.
Dans le clocher de l'église, qui date du XIVe siècle, se trouve
un curieux jacquemart; un paysan veut y frapper sa femme
toutes les heures, mais celle-ci se baisse à temps et c'est le
timbre qui reçoit le coup.

LAMOTHE–LANDERRON
(Gironde) 950 h. Paris 600 - Marmande 10.

Un homme écrit dans l'église.
L'église de Notre-Dame de Saint-Martin-de-Serres présente
un intéressant bestiaire, ainsi que quelques représentations mystérieuses : un homme bénissant, avec un
écriteau suspendu au cou, plusieurs hommes pieds nus,
et des personnages assis, les mains au-dessus de la tête.

LANDERNEAU
(Finistère) 10 950 h. Paris 585 - Brest 20.

Un navire de pierre.
Dans l'ossuaire de l'église Saint-Houardon, un tableau
moderne dû au peintre Yan d'Argent représente saint
Houardon, évêque de Léon au VIIe siècle, traversant la
mer dans une auge de pierre pour venir d'Angleterre en
Armorique. La tradition selon laquelle un saint se serait
ainsi transporté, de façon miraculeuse, entre les deux
Bretagnes, est assez répandue.

Un renard dans les ordres.
Dans l'église Saint-Thomas-de-Cantorbéry, on peut voir
une sablière curieusement sculptée représentant la Gour-

mandise sous la forme d'un porc qu'on s'apprête à égorger,
et le Vol sous les traits d'un homme emportant un sac.
Le Mensonge y figurait aussi autrefois, symbolisé par un
renard prêchant à des poules. Mais le renard portait un
froc de moine et le scrupule d'un ancien curé le fit disparaître;
il ne reste plus que les volatiles.

Sérénades pour morts frileux.

Le soir de la Saint-Jean, selon un ancien usage, on rangeait
près du feu des bancs destinés aux défunts. Puis, parcourant
du doigt toute la longueur des joncs fixés aux parois d'une
bassine de cuivre, des mains pieuses arrachaient au métal
de lugubres vibrations que le vent portait jusqu'au cimetière. Les morts venaient, à cet appel, s'asseoir sur les bancs
et réchauffer leurs membres engourdis.

LANDÉVENNEC
(Finistère) 579 h. Paris 598 - Châteaulin 34.

Le tombeau du roi d'Ys.

La célèbre abbaye de Landévennec, dont l'histoire et la
légende sont liées à celles de la Bretagne, fut fondée au
Ve siècle par saint Guénolé. Selon une tradition locale, son
ami le roi Grallon, souverain de la ville d'Ys, y aurait
été enseveli en 520. Dans les ruines de l'abbaye (visites

de 10 h à 12 h et de 15 h à 18 h), on montre, à l'angle du croisillon droit de l'église abbatiale, un mausolée carré à deux étages d'arcades romanes, dénommé *tombeau du roi Grallon*.

Les bénédictins de l'abbaye de Kerbeneat, près de Brest, ont entrepris en 1948 de restaurer à Landévennec l'antique foyer spirituel de la Bretagne, disparu depuis la Révolution, et se sont installés un peu en retrait du bourg, à quelque distance du site ancien.

LANDIVISIAU
(Finistère) 4 926 h. Paris 569 - Brest 36.

Un lavoir sculpté.

La *fontaine de Saint-Thivisiau* rappelle le souvenir du saint fondateur et éponyme de Landivisiau. Elle alimente le lavoir public. Dans ses murs sont scellés de remarquables bas-reliefs en granit provenant d'un tombeau du XVe siècle.

LANDUDEC
(Finistère) 1 292 h. Paris 587 - Quimper 19.

Un saint vétérinaire.

Les paysans avaient autrefois coutume d'accrocher des crins de la queue de leurs chevaux à la statue équestre de saint Éloi, afin qu'il préserve les écuries des maladies.

LANGEAC
(Haute-Loire) 4 649 h. Paris 483 - Brioude 29.

La guerre des œufs.

Autrefois, les seigneurs de Langeac, le jour de la fête de Saint-Gal, se battaient à coups d'œufs frais dans la forêt de Pourcheresse. Ils devaient envoyer mille œufs à la tête de leurs vassaux; ceux-ci devaient en faire autant. Aujourd'hui, le dimanche de la Pentecôte, dans le *pré du fou*, on taquine un prétendu fou; puis on va, à cheval, chercher des branches dans la forêt.

Environs
Le domaine des fées.

Les fées rôdent toujours dans la contrée. Elles hantent le
dolmen de Pinols, le *Teule de Las Fados* (à Tailhac), la
pierre de Las Fados (à Sauvagnat).

Un verre pour le géant.

Près de Saint-Elbe (à 7 km au nord de Langeac), un géant
mit autrefois un pied sur la Durance, montagne de 1 200 m
de haut, l'autre sur le mont Briançon (1 040 m) puis s'assit
entre les deux, sur le puy Moury (910 m.), ce qui lui permit
de boire dans l'Allier.

LANGON
(Ille-et-Vilaine) 1 487 h. Paris 400 - Redon 25.

Les danseuses de granit.

A une centaine de mètres du bourg, les *Demoiselles de*
Langon, groupe d'une quinzaine de blocs de quartz et de
grès de 0,50 m à 1,50 m de hauteur, sont, selon la légende,
des jeunes filles changées en pierre pour avoir dansé pendant
la grand-messe. Sous les rochers se trouverait un trésor.

Vénus dans la chapelle.

La chapelle Sainte-Agathe s'élève sur les fondations d'un
ancien sanctuaire gallo-romain dédié à Vénus. On a retrouvé
une fresque représentant une femme nue et un Amour
monté sur un dauphin au milieu d'un banc de poissons.
Convertie en chapelle chrétienne par saint Melaine, évêque
de Rennes, elle fut placée sous l'invocation d'Agathe (qui
eut les seins coupés). Les femmes allaitant venaient y
prier.

Une ville engloutie.

Selon la légende, l'*étier* (ou *étang*) de Langon, recouvre
l'emplacement d'une ville engloutie.

Un souterrain dont on ne revient pas.

A 20 m du tunnel de Corbinières, une caverne s'enfonce
sous terre, jusqu'à Langon, dit-on; on y vit un jour entrer

des moutons qui ne reparurent plus. Si l'on y fait passer
une oie, elle ressort dans la Vilaine, à Port-de-Roche, avec
un plumage noir.

Environs
Un menhir gênant.

A 800 m du village de La Mouchaye s'élève le *menhir de
Pierre-Bise* que Gargantua jeta parce qu'il le gênait dans
son sabot.

Un trésor dangereux.

Non loin de la *chapelle du Chêne-Mort*, le *menhir de la
Pierre-Daniel* s'est renversé sur un garçon de Langon nommé
Daniel, qui cherchait à déterrer la barrique d'or enfouie
sous le rocher.

LANGRES
(Haute-Marne) 8 300 h. Paris 290 - Chaumont 35.

Une relique de la sainte croix.

Le trésor, dans la chapelle des reliques de la cathédrale
Saint-Mammès, renferme une relique de la vraie croix,
un morceau de la lance qui a percé le flanc du Christ, les
reliques des trois martyrs de Saint-Geosmes.

Environs
Le martyre des trois jumeaux.

A Saint-Geosmes (dont le nom vient du latin : *Sancti
Gemelli*) furent martyrisés trois frères jumeaux, sous le
règne de Marc Aurèle. L'église conserve leurs reliques et
des bas-reliefs de la Renaissance représentent les scènes du
martyr.

Le gibet local.

Le *mont des Fourches* (à 2 km) portait autrefois les « fourches
patibulaires », le gibet.

La grotte de Senance.

Près de Noidant-le-Rocheux, l'importante *grotte de Senance*
est formée de galeries et de salles dont certaines n'ont pas
encore été explorées. Seuls des spéléologues entraînés peuvent
en entreprendre la visite.

Neuf ans dans une grotte.

Le *cirque-de-Marnotte*, près du village de Balesme, est
entouré de rochers où se trouve la grotte dans laquelle on
a longtemps cru que s'était réfugié Sabinus, chef lingon
(70 après J.-C.). Il s'y cacha neuf ans; découvert, il fut
exécuté à Rome avec son épouse Éponine.

LANGUIDIC
(Morbihan) 5 763 h. Paris 506 - Lorient 19.

Les Romains pétrifiés.

Une légende rapporte que des soldats romains qui pour-
suivaient saint Cornely furent pétrifiés à Carnac. C'est une
arrière-garde de cette troupe que l'on voit à Languidic,
sur la lande, sous la forme de trois files de petits menhirs
qu'on appelle les *soldats de saint Cornely*. Carnac se trouve
à une trentaine de kilomètres de Languidic : cette arrière-
garde avait quelque peu traîné en chemin. Ce qui ne la sauva
pas.

LANRIVOARÉ
(Finistère) 732 h. Paris 601 - Brest 19.

Des pierres cuites au four.

Au chevet de la croix du cimetière sont alignées huit pierres
rondes. La tradition rapporte que saint Hervé, aveugle-né

parcourant la région avec son guide, alla solliciter une croûte de pain dans une ferme. On le chassa. Les pains qui cuisaient dans le four se changèrent en huit pierres rondes.

7 777 cadavres.

Dans l'enclos attenant à l'église paroissiale sont enterrés, dit-on, des chrétiens massacrés par les Normands ou, selon une autre tradition, par Conan Meriadek. L'enclos, situé au sud de l'église, est entouré d'un mur et recouvert de dalles. Pour certains, les victimes auraient été au nombre de 7 777, mais en breton on cite toujours le chiffre de « *seiz* mil *seiz* kant ugent ha *seiz* », ce qui fait non pas 7 777 mais 7 847, conformément aux habitudes des Bretons, qui comptent volontiers par vingt (mot à mot : « sept mille sept cent sept vingt et sept »).

Lorsqu'on veut le visiter en pèlerin, on se déchausse à l'entrée puis on marche, en priant, sur les dalles du rectangle qui entoure les tombes.

LANUÉJOLS
(Lozère) 384 h. Paris 589 - Mende 11.

Un tombeau romain.

Lou Maselet, ou *petit mas*, est le nom donné à un mausolée romain dont les gens du pays mirent longtemps à percer le secret. Gros bloc carré de plus de 5 m de côté, il offre, sur trois de ses faces, de vastes niches larges de 2 m et profondes de plus de 1 m. Sur le quatrième côté, un linteau de porte livre une inscription à la mémoire des *enfants de Bassianus et de Regola*.

LANVAUX (Lande de)
(Morbihan) Redon 20.

Les menhirs du diable.

Les mégalithes abondent sur la lande de Lanvaux : menhirs, dolmens, pierres à bassins. On remarquera, en particulier, les deux buttes naturelles du *Brettin* et du *Terrois*, dont les flancs sont couverts de menhirs disposés en cercles concentriques.

Sur certains menhirs on voit de profondes rainures. Le sire de Keriolet, un noble breton du XVIe siècle, s'étant amendé après une vie dissolue, mérita par son austérité et ses pénitences, de terrasser le démon : il le ligota sur les menhirs de Lanvaux. On aperçoit encore les traces des cordes et des griffes du diable furieux.

Des hommes noirs sous la terre.

Au *tumulus du Castellie* habitent, sous terre, de petits hommes noirs. On raconte qu'un fermier parvint autrefois jusqu'à la chambre souterraine, où ces *korrigans* gardaient, dans un vieux pot, un trésor. Il l'emporta.

LAON
(Aisne) 21 931 h. Paris 130 - Saint-Quentin 46.

La chapelle des Templiers.

Dans le jardin du musée municipal, la *chapelle octogonale des Templiers* (XIIe siècle), que l'on a prise longtemps pour une création originale des Templiers, mais qui est plus vraisemblablement une imitation d'une chapelle plus ancienne. Les Templiers la construisirent lorsqu'ils obtinrent l'autorisation d'y posséder un cimetière, privilège jusque-là réservé à l'abbaye Saint-Vincent.

Les bœufs dans la cathédrale.

Un bœuf serait venu miraculeusement aider un attelage qui ne parvenait pas à gravir la colline. Il transportait les matériaux destinés à une église antérieure à la cathédrale. On peut voir deux énormes bœufs derrière la galerie du troisième étage, souvenirs du miracle.

Souterrains du Moyen Age.

Cette ville comptait au Moyen Age de nombreux souterrains. Ils servaient de refuge; on les appelait des *creuttes*.

LAPALISSE
(Allier) 3 182 h. Paris 340 - Vichy 26.

La capitale de l'évidence.

La ville doit son nom aux *palices*, ou *barrières* de madriers qui formaient la première enceinte du château. Le seigneur dont l'histoire populaire a retenu le nom fut le maréchal de La Palice, un des plus grands capitaines de son époque, mort au combat de Pavie en 1525. Un poème de circonstance de l'époque rendait hommage à sa fin héroïque en ces termes :

> *Hélas, La Palice est mort.*
> *Il est mort devant Pavie.*
> *Hélas, s'il n'était pas mort,*
> *Il ferait encore envie.*

Un copiste maladroit lut mal le dernier vers et prit un *f* pour un *s* ancien. D'où les *lapalissades*.

LARGEASSE
(Deux-Sèvres) 1 008 h. Paris 374 - Bressuire 20.

Le bœuf touché par la grâce.

Une vallée chaotique, près du lieu dit *Pierre-à-Dieu*, porte un
rocher de granit marqué de plusieurs cuvettes circulaires :
le *Boussignou*. Au milieu d'un entassement cyclopéen de
rochers granitiques arrondis s'étale une vaste plate-forme
portant trois empreintes. L'une est dite *Queue du bœuf*,
la seconde *Nez du bœuf* et la troisième *Pas du bœuf*, d'où
le nom actuel *(Bovis Signum)*. Les deux dernières sont à
peu près circulaires et toujours remplies d'eau. Un anachorète parcourait le pays pour y établir sa retraite. Mourant
de faim et de soif, il pria Dieu. Un bassin rempli d'eau se
creusa à ses côtés. Les paysans vinrent par la suite en pèlerinage près de cette eau miraculeuse. Selon une tradition
sans doute plus ancienne, un bœuf, qui était le seul à engrais-
ser pendant une année de sécheresse, venait boire dans ces
empreintes, ce qui amena leur découverte. Dans une autre
version, les cuvettes auraient été creusées par un saint
Bodet, qui possède à Vernoux une fontaine, mais dont
l'existence est incertaine. L'eau du Boussignou passe pour
miraculeuse. On vient de loin en boire une gorgée. Toutefois,
cette superstition n'a jamais été entérinée par le clergé.
Autrefois, les pèlerins venaient accrocher de petites croix
en bois de saule aux arbres environnants pour concilier
le paganisme et les exigences chrétiennes.

Mégalithes mobiles.

Au hameau de la Morelière, dans une prairie bordée par la
Sèvre nantaise, on peut voir une énorme pierre branlante,
d'une circonférence d'au moins 10 m et d'une hauteur de
plus de 2 m. Cette masse colossale oscille sous la poussée
d'une seule main. A la *Chevalerie*, entre la Morelière et le
Boussignou, un énorme rocher grossièrement sphérique,
qui pèserait plus de 160 tonnes, repose en équilibre sur
trois pitons rocheux. Le touriste qui ira le contempler,
aura l'impression, au premier abord, de voir choir sur lui
cette boule gigantesque.

LARGENTIÈRE
(Ardèche) 1 673 h. Paris 626 - Privas 56.

Une ville riche.
La ville doit son nom aux riches filons argentifères qui parcourent ses environs et qui sont exploités depuis le haut Moyen Age.

Le château de Jupiter.
Le château de Fanjau, en ruine, est, dit-on, construit à l'emplacement d'un temple de Jupiter, *fanum Jovis*. D'où son nom.

Des poissons immortels.
Le petit bourg de Sanilhac possède une *pierre du Diable*. Les pêcheurs racontent que les poissons pris autour de cette pierre ne cessent pas de frétiller même après leur mort.

LARGITZEN
(Haut-Rhin) 229 h. Paris 460 - Belfort 37.

Une quêteuse invisible.
On célèbre encore le 1er mai à Largitzen. Une jeune fille en robe blanche se couvre la figure d'un voile blanc fixé sur la tête par une volumineuse couronne de fleurs. Les enfants l'accompagnent et visitent toutes les maisons en chantant et en quêtant. Le lundi de Pentecôte, les garçons. maquillés, font de même.

LAROCHE–EN–BRENIL
(Côte-d'Or) 1 290 h. Paris 253 - Saulieu 12.

La Saint–Jean païenne.
Le *poron Mourger* est appelé aussi le *poron du diable*. Les druides, selon la tradition locale, y célébraient des sacrifices de pain et de vin au matin du jour le plus long de l'année. Les initiés approchaient plus ou moins, selon leur préparation, de l'autel. Des cercles concentriques, matérialisés par des pierres, définissaient ces limites. La Saint-Jean prit plus tard la place de cette fête solaire : l'actuelle fête patronale de saint Alban, le 22 juin, reportée au dimanche le

plus proche, coïncide avec le solstice d'été. On attribue
encore à cette pierre singulière, dans la région, une grande
influence sur le temps ; c'est elle qui écarterait de la commune
la pluie qui tombe partout ailleurs, et qui la condamnerait
à la sécheresse. On allait autrefois cueillir, dans la rosée,
tout auprès, à l'aube de la Saint-Jean, des herbes médicinales
ou maléfiques.

Des populations primitives.

La *fête de la Bœufnie* correspond aujourd'hui à la Saint-
Andoche de Saulieu, et coïncide avec l'équinoxe d'automne.
Jusqu'en 1914, les vieilles gens de Montmilien venaient avec
des lanternes célébrer le sabbat, c'est-à-dire pratiquer des
rites obscurs aux significations oubliées, en l'honneur du
soleil et de la lune. Quelques-uns de ces rites ont été chris-
tianisés. Ainsi, à Laroche et dans la commune voisine de
Saint-Germain-de-Modé, expose-t-on le corps des défunts
sur une pierre à sacrifice surmontée d'une croix. La survivance de ces coutumes s'explique par le caractère indé-
pendant et fermé de la société locale. Les habitants, vivant
dans les bois, auprès d'étangs et d'anciennes pierres, se sont
toujours méfiés de la civilisation. Au point qu'aujourd'hui
encore le guérisseur y est plus apprécié que le médecin.
C'est toujours un ascète ; célibataire, il ne dîne jamais ;
il enseigne et pratique la médecine des simples et la magie
du sel.
Ces réminiscences expliquent la persistance de frayeurs
comme celles que suscite le moulin maudit *Cassin*. On n'y
va pas le soir. On ne se baigne pas dans son eau. Ses habitants, dit-on, sont devenus fous ou sont morts tragiquement.
Il est depuis longtemps abandonné.

Les épaules du diable.

Sans doute quelques anciennes légendes ont-elles été transformées par les prêtres. Ainsi celle du diable qui avait
obtenu de Dieu la promesse de tenir en son pouvoir tous
ceux qui assisteraient à la messe de la Fête-Dieu, s'il parvenait à fermer la porte de l'église avant que la cloche ne
sonne. Il courut chercher un roc. Hélas ! il lui fallut lâcher
son fardeau à mi-chemin et, sur cette *roche du Diable*, on
voit encore la trace de ses épaules. On dit aussi que, dans
les ruines du château de Vernon, vivait une vouivre voleuse
d'enfants.

LARRESSORE

(Basses-Pyrénées) 745 h. Paris 757 - Bayonne 17.

Des quenouilles et des gourdins.

On fabrique traditionnellement, à Larressore, le bâton de néflier à lanières de cuir. Des rainures sont pratiquées dans l'arbre encore sur pied qui pousse donc avec des nodosités. On glisse un aiguillon dans la canne qui devient, de ce fait, une arme redoutable. Autrefois, Larressore avait la spécialité des quenouilles.

LASCELLE

(Cantal) 406 h. Paris 563 - Aurillac 15.

Le chant d'une magicienne.

L'*ondine de la Jordanne* habitait la *grotte du Huguenot*. On avait entendu ses chants plaintifs quand une brise remuait le feuillage ou ridait les flots; on avait vu sa forme blanche et légère se dessiner à l'aube du jour sur la cime d'un îlot. Elle était fort séduisante. Mais malheur à qui pénétrait dans son domaine! La croyance populaire avait tracé comme un cercle magique autour de la grotte et nul pâtre, nul chasseur n'osait le franchir.

LATOUR–D'AUVERGNE

(Puy-de-Dôme) 1 101 h. Paris 446 - La Bourboule 13.

Un marché de cheveux.

Les femmes donnaient, pour quelque parure sans valeur ou quelques mètres de tissu, leur chevelure : les acquéreurs la revendaient à prix d'or. Cette coutume disparut peu à peu, avant la Première Guerre mondiale.

LAURIE

(Cantal) 232 h. Paris 450 - Brioude 20.

Une source itinérante.

La Vierge noire de Laurie, Notre-Dame-du-Mont-Carmel, a été transportée à Laurie par miracle. En 1886, on découvrit une fontaine qui coule sous l'église. Selon la tradition, cette source a suivi la Vierge dans son déplacement.

LAUS (Le)
(Hautes-Alpes) Commune de Saint-Étienne-le-Laus.
221 h. Paris 600 - Gap 10.

Rendez-vous avec la Vierge.
Un jour de l'année 1664, Benoîte Rencurel, humble fille du village de Saint-Étienne, mena paître les troupeaux de son maître sur la montagne de Saint-Michel, où les sombres bois de pins et de hêtres alternent avec des ravins profonds que surplombent la corniche rocheuse et le roc de l'Aigle. Sur la rive droite de la Vence, un vénérable vieillard lui apparut et lui dit : « Demain, rendez-vous dans le vallon de Saint-Étienne, vous y verrez une belle dame, c'est la Mère de Dieu. » Les premières apparitions eurent lieu dans une cabane, pauvre chapelle couverte de chaume que l'on voit encore aujourd'hui. Benoîte eut à lutter pour faire admettre la réalité de ses visions; soutenue par la Vierge, elle obtint enfin que, le 25 mars 1665, après de nombreux prodiges, 35 paroisses des environs se réunissent pour prier. Pendant cinquante-quatre ans, la Vierge soutint la bergère et la forma à la vie contemplative; elle mourut en odeur de sainteté le 28 décembre 1718.

LAVAL
(Mayenne) 34 597 h. Paris 290 - Mayenne 30.

La maison d'un alchimiste.
Le 30 août 1669 mourut Jacques Arnoul de la Corbinière, docteur en droit canon. Il fallut un mois pour faire l'inventaire de ce que renfermait sa maison comme instruments d'alchimie de toutes sortes. On retrouva des fioles de mercure, d'antimoine, de soufre, etc.

Un signe maçonnique dans l'église.
Au bas d'une des verrières de l'église Saint-Vénérand est tracé un signe maçonnique : une croix portant une croix plus petite inscrite dans un disque, et l'initiale du donateur ou du maçon.

Un saint sur la pointe des pieds.

Dans l'église d'Avenières, d'un côté de la grande porte, à 10 mn à pied du Pont-Vieux, un *Saint-Sauveur* du XVIᵉ siècle présente sous les talons un grand nombre de piqûres d'épingles : les filles et les garçons qui désiraient se marier se recommandaient ainsi au saint. Selon la croyance populaire, le saint, fatigué de rester toute la journée dressé sur la pointe des pieds, se reposait la nuit en se posant sur toute la plante, et les épingles, s'enfonçant alors dans son talon, lui rappelaient les prières qui lui avaient été adressées dans la journée.

LAVILLATTE

(Ardèche) 167 h. Paris 570 - Le Puy 60.

Les hôteliers assassins.

C'est sur la route d'Aubenas au Puy que s'élève l'*Auberge rouge*, connue aussi sous le nom d'*Auberge sanglante*,

dont les propriétaires, les époux Martin, avec la complicité de leur domestique Rochette, avaient la spécialité d'assassiner les voyageurs pour les dépouiller. C'est là devant cette maison basse et grise que furent exécutés en 1833 Pierre Martin, dit Blanc, Marie Breysse, sa femme, et Jean Rochette, qui avaient été condamnés à mort le 15 juin de la même année par la cour d'assises de l'Ardèche. Leurs sinistres exploits donnèrent naissance à une véritable tradition littéraire. Balzac traita le sujet dans un récit célèbre.

LAVOURS
(Ain) 158 h. Paris 511 - Belley 10.

Fécondité d'un sarcophage.
Le *marais de Lavours* est un reste du grand lac du Bourget.
Gargantua s'y aventura et y laissa des traces de pas. Dans les environs existe un sarcophage, dit le *lit du Roi*, contre lequel les jeunes mariées et les femmes stériles venaient se frotter pour obtenir la fécondité.

LAVOUTE–CHILHAC
(Haute-Loire) 386 h. Paris 483 - Le Puy 53.

Une Vierge naine.
C'est un lieu de pèlerinage attesté depuis fort longtemps.
En 1496, on trouva sur les berges de l'Allier une petite Vierge de 15 cm de hauteur; pour l'honorer, on institua le pèlerinage de *Notre-Dame Trouvée*. Il a lieu, chaque année, le 2 juillet.

LÉCLUSE
(Nord) 1 426 h. Paris 200 - Douai 20.

La silhouette du diable.
Le menhir de Lécluse, qui se dresse au sommet d'une petite éminence, au-dessus de la vallée de la Sensée et du village, et que les Allemands renversèrent et brisèrent pendant la Première Guerre mondiale, porte différents noms qui ont trait aux légendes qui l'entourent. On dit *Epierre*, *Pierre des*

Pierres et, le plus souvent, *Pierre du Diable*. Satan achevait une ferme avec des blocs énormes et portait sur ses épaules la dernière pierre, lorsque le coq chanta. Il la laissa tomber; elle porterait la trace de ses griffes. Selon une autre tradition, sa silhouette tout entière figurerait sur la face actuellement invisible du menhir. Certains disent aussi que le fermier avait vendu son âme au diable. A l'heure de la mort, il fit appel au prêtre qui fut là avant le diable. La colère de celui-ci fut telle qu'il détruisit la ferme et qu'il n'en reste que cette pierre.

LEMBACH
(Bas-Rhin) 1 501 h. Paris 448 - Wissembourg 15.

Le diable en pèlerinage.

Dans le donjon du château de Flockenstein, un puits descendait jusqu'à la vallée. On disait que le diable l'avait creusé, après être entré dans le château sous un déguisement de pèlerin. Une fois le travail fini, des flammes crépitaient dans le puits. On y jeta de l'eau bénite et elles disparurent.

Soins de beauté d'une dame blanche.

Par les nuits de clair de lune, une dame vêtue de blanc descend des ruines du château de Hohenbourg et se coiffe en chantant, près de l'étang. Quand l'heure sonne à l'église de la vallée, elle disparaît dans les bois.

LÉRINS (Iles de)
(Alpes-Maritimes) Cannes 30 minutes.

Un fief de Satan confisqué par Dieu.

On raconte que les deux îles de Marguerite et de Saint-Honorat en formaient jadis une seule. Elle appartenait au diable, qui y enfermait les lutins dont il n'était pas content. Il y avait aussi élevé un temple. Puis Dieu ordonna que l'île soit submergée avec l'œuvre du démon. Il permit cependant qu'elle revienne ensuite à la surface, fragmentée en plusieurs morceaux pour que Satan ne puisse plus s'y installer. L'île Saint-Honorat se couvrit alors d'une épaisse forêt, au milieu de laquelle on vit longtemps les ruines du temple de Satan.

Un temple ligure.

Les îles doivent leur nom à une divinité ligure, *Lero*, et, selon
Strabon, c'est un temple élevé à cette déesse que l'on prenait
pour celui du diable. Léro était alors la protectrice des
pirates ligures qui venaient relâcher dans les îles.

Un Héraklès chrétien.

Lorsque saint Honorat vint s'établir dans l'île qui porte son
nom, il dut d'abord en exterminer les innombrables serpents
qui l'infestaient. Son geste est considéré comme une lutte
classique contre le dragon. Mais celui-ci apparaît bien comme
un reptile à cent têtes, c'est-à-dire une hydre. Or le passage
d'Hercule est attesté ici et il faut voir dans la figure de
l'anachorète le *double* chrétien d'Héraklès combattant
l'hydre de Lerne. Le nom même de *Lérins* pourrait bien
venir de *Lerne*. La toponymie locale conserve, à l'extrémité
occidentale de Sainte-Marguerite, une *pointe du Dragon*.

Deux saints frère et sœur.

Selon la légende chrétienne, Honorat et Marguerite étaient
frère et sœur, natifs des Vosges et orphelins de naissance.
Parvenu en Méditerranée, après un long voyage mystique,
chacun choisit une île pour s'y installer. Honorat fonda sur
son îlot sept chapelles dont l'ensemble devint, au VIe siècle,
le monastère le plus célèbre de la chrétienté.

Un monument incompréhensible.

Dans l'île Sainte-Marguerite, une propriété privée (la seule),
dite le *Grand Jardin*, possède un édifice bizarre, peut-être
du XVIe siècle, et dont on n'a jamais compris l'utilité. On
le nomme traditionnellement *les Oubliettes*.

LESSAY
(Manche) 1 225 h. Paris 324 - Saint-Lô 36.

Une rue par corporation.

Sur la vaste lande, célébrée par Barbey d'Aurevilly dans
l'*Ensorcelée*, traversée sur 10 km en ligne droite par la route
de Coutances, a été instituée, depuis le XIIIe siècle, à proximité
du bourg de Lessay, par les moines bénédictins, une foire
très curieuse, dite de la *Sainte-Croix*, qui se tient chaque
année les 10, 11 et 12 septembre.

Des deux côtés de la route, les tentes des marchands forment des rues disposées selon les diverses professions foraines : rue des Bazars, rue des Cuisiniers, etc. La foire de Lessay est l'une des plus importantes de France pour le commerce des chevaux.

LESTELLE–BETHARAM
(Basses-Pyrénées) 1 326 h. Paris 784 - Lourdes 15.

Une chute arrêtée par un rameau.

Une chapelle à la Vierge a existé ici de toute antiquité ; elle est signalée dès le XVe siècle et la rumeur populaire en faisait un lieu de dévotion contemporain de l'introduction du christianisme en Béarn. Le nom même du sanctuaire, *Beth Arram*, qui signifie en béarnais *belle branche* ou *beau rameau*, indique un très ancien culte champêtre. Une légende raconte qu'une jeune fille, étant tombée dans le gave non loin de la chapelle, implora la Vierge et put se rattraper à un rameau qui pendait providentiellement sur le rivage. En reconnaissance, elle offrit un rameau d'or sur l'autel du petit sanctuaire voisin.

LEVROUX
(Indre) 3 311 h. Paris 241 - Châteauroux 20.

Un temple détruit par saint Martin.

A l'époque gallo-romaine, la *Gabatum* des Bituriges possédait un magnifique temple. Il fut détruit par saint Martin lors de sa campagne contre les mouvements païens. Le célèbre évêque de Tours y guérit de la lèpre un des chefs du *Municipe* et l'antique nom de Gabatum fut remplacé par celui de *Leprosum*, d'où *Levroux*.

A la sortie de la ville, au nord-ouest, le *champ de la Tibie* renferme un dépôt d'ossements et d'urnes funéraires.

Conversion d'un amoureux éconduit.

Venus à Gabatum pour l'évangéliser, saint Sylvain et saint Sylvestre y baptisèrent une jeune fille nommée Rodène, fiancée au noble et riche Corusculus ; elle abandonna sa maison et ses projets pour les suivre. Irrité, Corusculus se mit à leur poursuite. Plutôt que de retomber aux mains du paganisme, Rodène s'entailla le visage de telle manière qu'elle fut défigurée et que Corusculus, l'apercevant, s'enfuit avec horreur. Sylvain guérit Rodène de ses blessures et obligea Corusculus à revenir sur ses pas, en le paralysant à demi. Ébloui d'un tel prodige, Corusculus se convertit et, avec lui, toute la ville de Gabatum, frappée de tant de miracles. L'église Saint-Sylvain, construite au XIIIe siècle, renferme les statues de ces quatre saints.

Environs
Une fontaine exigeante.

La *fontaine Sainte-Rodène*, au nord-ouest de la ville, se visite d'étrange façon. Le pèlerin qui voulait être exaucé devait placer sa tête dans une cavité murale, en se soutenant du bras gauche, au-dessus de l'eau, à l'aide d'une barre de fer.

LEYNHAC
(Cantal) 739 h. Paris 587 - Aurillac 39.

Les maris satisfaits.

Le monument *Peyra de Martory*, érigé sur un tertre, a aujourd'hui disparu. C'était un énorme amas de cailloux, ex-voto disposés là, disait-on depuis des siècles, en l'honneur d'un dieu, par des maris reconnaissants, pour le remercier de la fidélité de leur femme. Le champ, aujourd'hui cultivé, où se dressait ce tumulus, s'appelle le *Peyra de Martory*. Quand les railleurs voulaient montrer du doigt une femme légère, ils forçaient le mari à venir déposer une pierre sur ce tertre qui se gonflait démesurément.

LEZOUX
(Puy-de-Dôme) 2 943 h. Paris 387 - Clermont-Ferrand 26.

Les saints potiers.

Lezoux eut l'honneur d'accueillir Stremonius, plus connu en Auvergne sous le nom de saint Austremoine, et chassé d'Arezzo, en Italie, ville où avait pris naissance l'industrie des potiers. Pionnier de la religion chrétienne, saint Austre-moine fit aussi de Lezoux la *capitale des potiers*. Depuis l'époque gauloise, il existait à Lezoux des ateliers de poterie et le saint, pauvre et pourchassé, s'y engagea, dit-on, comme ouvrier. Là encore, il fit des adeptes à la religion du Christ et dut s'enfuir pourchassé par un prêtre de Vasso, temple célèbre d'Auvergne. La tradition rapporte que saint Austremoine descendit chez une veuve, Claudia, qui hébergeait sa nièce, Gerlène. Il les convertit toutes deux, ainsi que Fabius, soldat romain fiancé à Gerlène. Fabius trouva la mort en interdisant l'entrée de la maison de Claudia, où les chrétiens étaient réunis, à la foule déchaînée par les prêtres gaulois. Gerlène, le soir, mourut sur le corps de son fiancé, terrassée par la douleur. On les enterra l'un près de l'autre. Au XIXᵉ siècle, l'abbé Constancias découvrit au cours de ses fouilles deux corps couchés côte à côte dans la nécropole gallo-romaine, l'un étant celui d'une femme jeune, l'autre celui d'un homme sur les vêtements duquel se trouvaient des traces de métal et des fibules; il pensa que, peut-être, c'étaient là les corps de Gerlène et de Fabiüs. Une grande foule s'achemina alors vers la tombe, en pèlerinage.

Le culte de Mercure.

On découvrit, aux alentours de 1900, une petite stèle qui fut prise alors pour une idole de l'âge de la pierre polie. C'était en réalité une stèle anthropomorphe gauloise du début de notre ère, qui marquait la tombe d'un Gaulois de noble origine.

En 1890 avait été mise au jour une statue de Mercure, vraisemblablement mutilée par les chrétiens néophytes, car ses différentes parties furent retrouvées à plusieurs endroits différents. Le culte de Mercure était très répandu en Gaule romaine. Il en reste à Lezoux, comme en beaucoup d'endroits, une rue Mercœur.

Une fête patriotique le jour des Rameaux.

Une fête a lieu tous les ans sur la place de la Croix-des-Rameaux, vestige des réjouissances qui fêtaient la victoire du 8 avril 1592, dimanche des Rameaux où fut refoulé victorieusement de Lezoux le capitaine Chappe, ligueur forcené et bandit de grand chemin, qui avait mis la ville à sac au cours de la même année. Une croix fut plantée, appelée la *croix de l'Assaut*, et une procession, la *procession de l'Assaut*, commémorait chaque année l'événement. Peu à peu l'idée des Rameaux prévalut sur celle de l'Assaut, en partie oubliée (la croix a été détruite à la Révolution).

Fêtes païennes.

Au solstice d'été (24 juin), les fidèles de toute la région se
réunissaient autour d'un temple qui occupait l'emplacement
d'une chapelle dite église Saint-Jean (cimetière actuel),
et allumaient des feux sacrés dont la flamme figurait la
venue de l'été. Ces feux de joie étaient accompagnés de
sacrifices, on dansait autour des foyers et, une fois consumées,
les cendres étaient jetées au vent pour dissiper les malheurs.
Ces fêtes ont subsisté, même une fois perdue leur signification
originale; mais elles ont été christianisées sous le nom de
« feux de la Saint-Jean ».

LIART

(Ardennes) 690 h. Paris 225 - Hirson 29.

Les ripailles de la source de l'Aube.

Sur la butte de Marlemont, l'Aube prend sa source au Gandlup. C'est là qu'autrefois se réunissaient les loups pour faire
ripaille. On dit encore aux enfants désobéissants : « Je te
mènerai à Gandlup et le loup te mangera. »

Le fantôme de la potence.

A *la Pensée* se dressait autrefois la potence. Le château fut
détruit en 1590, par les Calvinistes, et, pendant deux siècles,
une fileuse hanta les ruines.

LICHTENBERG

(Bas-Rhin) 499 h. Paris 500 - Strasbourg 70.

Des flammes sur les girouettes.

L'origine du mot *Lichtenberg* (*montagne des Lumières*)
est légendaire. On dit que par temps d'orage on voyait
des flammèches bleues voleter sur les girouettes du château
de Lichtenberg et sur la pointe des hallebardes des gardes.

Deux frères ennemis.

On dit qu'il existe, dans les ruines du château, un cachot
souterrain où un seigneur laissa mourir son frère qu'il
retenait prisonnier. Sculptés dans le mur, en haut du donjon,
trois visages douloureux représentent dit-on, le malheureux
condamné.

LICQ–ATHEREY

(Basses-Pyrénées) 457 h. Paris 806 - Mauléon 19.

Les coqs n'ont pas chanté.

Canyon de Cacouëta : sur le gave de Sainte-Engrâce, on a jeté
bien des passerelles, sans grand succès. Les inondations de
1937 emportèrent les plus récentes. Comme on s'évertuait
en vain, autrefois, à construire le pont de Licq, trois *laminaks*
s'offrirent à l'édifier en échange de l'âme d'un des habitants.
On leur promit ce salaire, à condition que le pont fût terminé
avant le premier chant du coq, en une seule nuit. Après avoir
ensorcelé tous les coqs, ils se mirent à l'œuvre. Ils tenaient
en main la dernière pierre du pont quand un poussin, encore
dans l'œuf sous la poule, chanta. Ils jetèrent la pierre dans
l'eau, laissant le pont inachevé.
Selon une autre version de la légende, les laminaks réclamè-
rent la plus jolie fille du pays. Son fiancé, désespéré, se
cacha au coin d'un poulailler et imita le cri du coq, réveillant
toute la basse-cour. Les laminaks s'enfuirent aussitôt.
Depuis lors, les gens de Licq sont condamnés, dit-on, à n'avoir
pas de pont durable.

LIGNY–EN–BARROIS
(Meuse) 4 910 h. Paris 238 - Commercy 24.

Les descendants de Mélusine.

La famille du maréchal de Luxembourg, dont le tombeau
se trouve dans l'église de Ligny, se targuait d'être apparentée
à la fée Mélusine. A la principale porte d'entrée du château
des Luxembourg, aujourd'hui détruit, on voyait la fée
sculptée sous la forme d'une sirène. Dans tous les appartements, et jusque dans la chapelle, on la retrouvait. On
disait qu'elle avait habité le château, on y montrait sa
chambre et son cabinet de toilette.

LIGUEIL
(Indre-et-Loire) 2 023 h. Paris 276 - Loches 18.

Des seringues de purin.

Au temps du carnaval, les enfants envoyaient jadis du purin à
la tête des passants au moyen d'une *flictuère*, seringue en

sureau. Le jeudi saint se nomme traditionnellement la *Belle Bounette*.

Ce jour-là, on conduit les enfants à l'église, avec leurs plus beaux bonnets, en habits de fête. Toutefois, si les garçons n'ont pas encore étrenné leurs premières culottes, il faudra attendre le vendredi saint. On ne doit mettre un garçon en culotte qu'un vendredi : ainsi sa première demande en mariage ne sera pas repoussée.

LILLE

(Nord) 195 000 h. Paris 227 - Arras 51.

La Motte Madame.

La basilique Notre-Dame-de-la-Treille, en faux gothique, inachevée depuis 1854, est construite sur la *motte Madame*, emplacement légendaire du château du Buc qui serait à l'origine de la ville.

Le lundi parjuré.

Premier lundi après l'Épiphanie : les rois mages avaient promis à Hérode de revenir, mais ils ne tinrent pas parole. Le *lundi parjuré* est le jour où l'on échange des vœux.

Ducasses et braderies.

Chaque quartier a sa *ducasse*, c'est-à-dire la fête de la *dédicace* de la paroisse à son saint patron. Les ducasses ont lieu le dimanche, depuis Pâques jusqu'au dernier dimanche d'août. Le premier lundi de septembre a lieu la *Grande Braderie* (*brader* signifie « solder, vendre à bas prix ») : c'est une foire franche qui attire les chiffonniers, les petits commerçants, les forains et même les particuliers qui se débarrassent ce jour-là, à vil prix, d'objets inutiles. C'est une foire aux occassions assez pittoresque.

Signalons également le marché aux puces de Wazemes, quartier populaire de Lille, qui a lieu tous les dimanches autour de l'église Saint-Pierre-Saint-Paul (en venant de la place de la République, prendre la rue Gambetta).

Grande Kermesse et géants du Nord.

La *Grande Kermesse* a lieu le dimanche et le lundi de la Pentecôte. C'est un souvenir de la Grande Procession de 1270. Son principal intérêt est son défilé de *géants* : ceux de

Lille, Lydéric et Phynaert, « fondateurs » de la ville, mais
aussi d'autres géants des Flandres françaises et de Belgique,
accompagnés de groupements folkloriques aux costumes
originaux (*Gilles*, par exemple), de fanfares dont chacune joue
son propre motif. C'est sans doute le véritable carnaval
populaire de France.

Les jeux du Nord.

Les Flandres sont la région qui a sans doute conservé la
plus grande variété de jeux locaux et originaux. Les marionnettes typiques des Flandres ont aujourd'hui disparu : très
voisines des marionnettes siciliennes, elles offraient des
spectacles savoureux, en patois, sur des thèmes éprouvés
(*Geste* de Charlemagne mais aussi tragédies classiques
françaises adaptées au goût populaire) : ces réjouissances
avaient lieu dans les « cours » situées au milieu des pâtés de
maisons ; la plupart de ces cours ne sont plus connues que par
Le P'tit Quinquin, d'Henri Desrousseaux, où la mère berce
son enfant en lui promettant de le conduire voir les marionnettes dans la « cour Jeannette-à-Vaques » (Jeannette-à-
Vaches).
Les *combats de coqs* se livraient aussi dans les cours : ces jeux
sanguinaires sont aujourd'hui interdits, mais on assure que
des combats clandestins ont encore lieu dans les caves ou les
arrière-cours de certains *estaminets*. Chaque estaminet
reçoit son groupement d'éleveurs de chiens policiers (la
douane et « la fraude » en font une égale consommation),
de tireurs à l'arc, de colombophiles, de *pinchonneux* (pigeons
aveugles auxquels on apprend à chanter) et de joueurs de
boules.

LIMOGES
(Haute-Vienne) 105 990 h. Paris 374 - Périgueux 101.

Avant la découverte des émaux, des murailles vitrifiées.

Dans tout le Limousin, des vestiges de forts vitrifiés subsistent. Le Puy-de-Gandy, près de Guéret, successivement
occupé par les Gaulois, les Romains et les Wisigoths, présente une surface de 15 hectares entourée de murailles qui
sont complètement vitrifiées. Un érudit, Thuot, attribue
cet effet au feu grégeois. Les résultats de cet incendie sont

observables jusqu'à près de 2 m de profondeur. Les matériaux fondus présentent l'aspect de scories volcaniques; en
brisant les échantillons, on observe que le mica est remplacé
par une matière brune, opaque et fortement boursouflée.

Quel culte célébrait—on dans ce temple sphérique ?

Une construction extraordinaire et peut-être unique en
son genre aurait été découverte en 1837 à Limoges puis fermée
par ordre des autorités municipales, de crainte que des
malfaiteurs ne l'utilisent comme refuge. C'était un temple
souterrain, de forme rigoureusement sphérique, mesurant
plus de 14 m de diamètre et taillé dans le roc avec des pics
dont on voyait encore les traces. Les voies d'accès de ce
temple n'ont jamais été fouillées par la suite.

Une cathédrale sur les vestiges d'un temple de Priape.

En 1850, Louis de Sivry a signalé que la cathédrale Saint-
Étienne avait été bâtie à l'emplacement d'un temple dédié
à Priape.
Reconstruite au XIᵉ siècle, Saint-Étienne fut solennellement
consacrée par le pape Urbain II, le 29 décembre 1095. Le
1ᵉʳ juin 1273 fut posée la première pierre d'un nouvel
édifice. Seule, une curieuse crypte témoigne encore de la
présence de l'ancienne église. Le chœur date du XIIIᵉ siècle;
le transept et les deux premières travées de la nef ont été
bâtis au XVᵉ siècle et au commencement de la Renaissance.

Sur un jubé chrétien les travaux païens d'Hercule.

Les motifs du jubé en pierre sculptée de la cathédrale encadrent des panneaux où sont figurés les travaux d'Hercule.
Ce monument daté de 1544 évoque le souvenir d'un donateur,
Jean de Langeac, dont le tombeau est orné, d'ailleurs,
d'étranges reliefs. Non loin du portail Saint-Jean, sur des
contreforts nord, la statue de saint Martial semble avoir
été celle d'un Hercule chrétien dont le nom ancien « Marsals »
rappelle curieusement celui du dieu païen du feu et de la
guerre, Mars.

Que vendaient les marchands limousins ?

Aux foires de Champraut, si célèbres au Moyen Age, les
marchands limousins disposaient d'une halle spéciale de
déballage. On y vendait des cuirs, de la cire, des vitraux
peints, des toiles, des draps, des tapis, des tissus à raies
multicolores appelées « limogiatures » et surtout des objets
d'orfèvrerie émaillée, nommés *œuvres de Limoges*.

Les « daurados » limousins, artistes du feu.

L'ancien cartulaire de l'hôtel de ville a conservé le premier
règlement écrit des « daurados », les orfèvres-émailleurs qui
formaient la plus puissante des 33 corporations de Limoges.
Onze artistes du feu ont signé ce document qui, daté du
20 février 1395, substitue pour la première fois des textes
aux anciennes coutumes orales. On y trouve deux articles
singuliers; le premier interdit de placer entre le métal et
l'émail, dans la vaisselle, de la limaille d'argent ou du papier
sans l'examen préalable et la permission des « bailes »,,
c'est-à-dire des gardes du métier.
Le second article du règlement des daurados ordonne à
tout orfèvre de n'utiliser aucune autre couleur que celles
dont la fixation exige l'emploi du feu. Cette volonté de
garder à ce noble métier son origine métallurgique primitive
témoigne de l'ancienne association des orfèvres-émailleurs
avec les monnayeurs, attestée à Limoges dès le VIe siècle
et placée sous le patronage du « bon saint Éloi », auquel
on attribue deux chefs-d'œuvre : une coupe en forme de
nef, appartenant au trésor de Saint-Denis, et les aigles tri-
colores émaillés qui ornaient la châsse de la Sainte-Chemise
de Chartres.

Une femme a découvert, par hasard, le secret d'un alchimiste.

A la mort de Jean-Baptiste Nouailher, en 1804, les fourneaux
des émailleurs qui avaient rendu célèbre le nom de Limoges
dans le monde entier pendant plus d'un millénaire, s'étei-
gnirent. Mais déjà, depuis la découverte d'un alchimiste
allemand, J.F. Boetcher, qui avait confié en 1709 le secret
du kaolin à l'électeur de Saxe, la fabrication de la porcelaine
s'était développée en Allemagne. Ce fut grâce à la femme
d'un chirurgien de Saint-Yrieix, Mme Darnet, que Limoges,
dès 1770, put rivaliser avec les artistes saxons. C'est d'ailleurs par hasard que Mme Darnet trouva, près de Saint-

Yrieix, au Clos-de-Barre, la terre blanche et savonneuse qui permit aux fabricants de Limoges de découvrir le secret de la porcelaine dure, secret que la manufacture de Sèvres cherchait en vain depuis de longues années. Dès cette époque, les cheminées des fours à porcelaine s'allumèrent dans la ville. Mars et saint Martial continuaient de protéger l'antique cité.

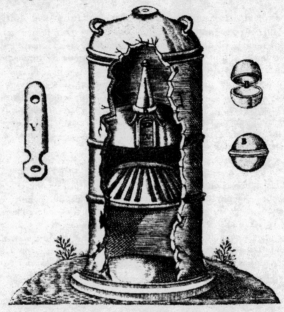

Un long souterrain gaulois vers le fleuve.

Sur l'emplacement de l'amphithéâtre romain (qui mesurait près de 400 m de tour et pouvait contenir 10 000 spectateurs), on découvrit, voilà une centaine d'années, une galerie souterraine antérieure à l'occupation romaine. Longue de près de 1 km, elle allait, en ligne droite, jusqu'aux bords de la Vienne. Elle fut fermée au début du XIXᵉ siècle. On pense qu'elle était utilisée en cas de siège afin d'assurer aux assiégés leur ravitaillement en eau et de préparer des contre-attaques nocturnes. On a signalé, d'ailleurs, la présence de nombreux souterrains sous divers édifices de

Limoges; cet ensemble formait une ville souterraine à plusieurs étages, avec des galeries spacieuses auxquelles on accédait par des escaliers comptant parfois près d'une quarantaine de marches. Un historien local, Caumont, évaluait en 1951, à plus d'une centaine les maisons qui comptaient encore des souterrains creusés dans le granit désagrégé.

LIMOUX
(Aude) 8 334 h. Paris 800 - Carcassonne 23.

Un puits dans l'église.
La *Vierge noire* de Limoux se trouve dans une église dressée sur une colline, au milieu des vignes, des pins et des oliviers. L'église renferme en outre un puits. Au flanc de la colline coule une source qui guérit, dit-on, les maladies des yeux. Son eau est rare et ne sourd que goutte à goutte.

LINARDS
(Haute-Vienne) 1 572 h. Paris 415 - Limoges 30.

Des pierres qui s'enfoncent.
Les *pierres de Saint-Martin* se trouvent au bord de la route de Linards à Boulandie. Ces cinq pierres rouges sont d'une nature inconnue dans la région. Elles paraissent s'enfoncer lentement dans le sol marécageux. Depuis qu'il les connaît, le propriétaire affirme qu'elles ont pénétré de quelque 30 cm dans la terre. On a essayé de creuser autour : n'ayant pas atteint leur extrémité inférieure, on a abandonné. Quatre d'entre elles portent des empreintes qui les ont fait attribuer à saint Martin : on y voit les traces de son pied, des plis de son manteau, de ses poings. On voulut un jour les arracher : un orage effrayant se déchaîna. Depuis lors, on respecte ces pierres étranges.

LINDRE-HAUTE
(Moselle) 84 h. Paris 353 - Metz 64.

Des mains sorties de terre.
Les mains d'une sainte inconnue seraient un jour sorties de
terre : on sculpte des *mains en pierre*, en souvenir. Elles
sont visibles sur l'autel de l'église.

LINGOLSHEIM
(Bas-Rhin) 5 240 h. Paris 448 - Strasbourg 12.

Un collier préhistorique.
Au cours des fouilles pratiquées dans les tombes néoli-
thiques que recèle la *Sablière*, on a trouvé une parure en
dents de cerf. Ce collier, formé des dents atrophiées du cerf,
dites *craches*, ressemblait à ceux qu'on fait dans le pays de
Bade avec ces mêmes dents, recherchées comme une rareté
par les chasseurs. On s'est parfois demandé si les meules de
pierre trouvées sur la tête du squelette, dans ces mêmes
sépultures, n'indiquent pas le désir des vivants d'empêcher
le mort de revenir.

LISIEUX
(Calvados) 15 350 h. Paris 178 - Trouville-Deauville 28.

Un faubourg nommé Saint-Désir.
Le comté de Lieuvin, l'antique *Lexuinus pagus*, dont la
capitale est devenue Lisieux, appartenait de droit à l'évêque
de cette ville. Celui-ci prenait le titre de comte et exerçait
dans sa juridiction la puissance temporelle et le pouvoir
spirituel.
Noviamagus, l'ancienne cité, occupait l'emplacement du
faubourg Saint-Désir, qui portait le nom, encore inexpliqué,
d'une abbaye voisine. Saint Désir, en effet, ne figure pas
dans la nomenclature hagiographique traditionnelle; il n'est
pas mentionné, par exemple, dans la longue liste des saints
et des saintes du *Traité d'iconographie chrétienne* de Barbier
de Montault.
Ne pourrait-on rapprocher le mot latin *desiderium (désir)*
d'un nom cité par le bienheureux Jacques de Voragine dans
La Légende Dorée, ouvrage écrit vers 1255, et où l'auteur

signale que le dernier roi des Lombards, Desiderius, et toute sa famille furent exilés en Gaule après la victoire de Charlemagne? Peut-être l'abbaye de Saint-Désir avait-elle été ainsi nommée pour rappeler le souvenir de son fondateur, converti au christianisme.

L'accusateur de Jeanne d'Arc.

Pierre Cauchon, évêque de Beauvais, avait été chassé de cette ville par la population indignée de son alliance avec les Bourguignons. Pendant le procès de Jeanne d'Arc, il dirigea l'accusation avec une perfidie telle que sa victime, en entendant l'annonce de sa condamnation au bûcher, se tourna vers lui et dit : « Évêque, je meurs par vous. » Peu après le supplice de Jeanne, dont le corps, à demi consumé, fut entièrement brûlé par ordre des chefs du conseil d'Angleterre, et les cendres jetées à la Seine, de peur que le peuple n'en fît des reliques, Pierre Cauchon devint, en 1432, évêque de Lisieux. Est-ce en signe de repentir ou par habileté politique ou pour quelque autre motif ignoré qu'il ordonna d'élever un autel expiatoire à la Vierge dans la cathédrale Saint-Pierre, faisant ainsi reconstruire toute la chapelle axiale de cet édifice? Pierre Cauchon y fut inhumé dans un caveau, près de cet autel. Est-ce par une simple coïncidence que dans cette même cité, cinq siècles plus tard, le 11 juillet 1937, le cardinal Pacelli, le futur Pie XII, inaugurait une basilique édifiée à la gloire d'une autre vierge et martyre, sainte Thérèse de l'Enfant-Jésus?

Châsse miraculeuse.

Le 15 août, le dernier dimanche de septembre et le 30 septembre, jour anniversaire de la mort de sainte Thérèse, se déroulent les grandes cérémonies religieuses de Lisieux. La basilique, consacrée solennellement le 11 juillet 1954 et dont on poursuit encore les travaux d'aménagement, domine une ville reconstruite en fonction de son rôle de centre de pèlerinages. Lors de la translation du corps de sainte Thérèse du cimetière à la chapelle du Carmel, 50 000 fidèles suivirent le cortège. En des circonstances solennelles, on expose les reliques de la sainte dans une châsse portative en argent appelée « Châsse du Brésil ». C'est un ouvrage d'orfèvrerie offert par une donation brésilienne; il est orné d'émaux de Limoges, de colon-

nettes d'onyx et il pèse près de 50 kg. De nombreux souvenirs de l'enfance et de la vie de carmélite de la sainte ont été rassemblés dans une salle spéciale de la chapelle et dans la maison familiale de la « petite Thérèse », « les Buissonnets », que visitent, chaque année, des milliers de pèlerins.

Pluie de roses.

Disciple des mystiques du Moyen Age, Dante a représenté la Vierge « dans un beau jardin qui fleurit sous les rayons du Christ » comme « la Rose dans laquelle le Verbe divin s'est incarné », fleur entourée « des lis dont le parfum enseigne le bon chemin ». Dans le cercueil de sainte Thérèse, (morte le 30 septembre 1897, à l'âge de vingt-quatre ans, en promettant de faire tomber une « pluie de roses » sur la terre) on déposa les palmes du martyre et les lis. On peut rappeler à ce sujet certaines traditions singulières. En Angleterre, l'une d'elles assurait que les gouttes de sang tombées de la couronne du Sauveur, faite de branches entrelacées d'églantine, s'étaient changées en roses en touchant la terre. En Allemagne, on disait que toutes les roses étaient originairement rouges : les pleurs de Marie-

Madeleine pendant la Passion décolorèrent leurs pétales, faisant naître ainsi les roses blanches.

Dans un curieux traité, *Rhodologia* (II, XIX, 232), on prétend que les possédés ne peuvent supporter le parfum de ces fleurs. Les sorcières n'osent les cueillir, de peur d'être reconnues. Un loup-garou, s'il touche un églantier, reprend aussitôt forme humaine. Judas se serait pendu à un églantier dont les épines, depuis ce jour maudit, se sont recourbées. Rien ne saurait contraindre un vampire, disait-on, à passer près d'un buisson de roses.

LIVAROT

(Calvados) 2 391 h. Paris 196 - Lisieux 18.

Un trésor difficile à prendre.

Sur l'ancien chemin de Fervaques se trouve la *Pierre Tournante*, bloc haut de 2 m. A son pied se trouverait un trésor gardé par un démon et accessible au moment où la pierre pivote sur elle-même, dans la nuit de Noël, quand le prêtre chante la généalogie du Christ, et à la Saint-Jean, quand il prononce les mots du Credo : *Et homo factus est.* En 1730, les évêques de Lisieux durent interdire le culte superstitieux dont on entourait cette pierre. Au siècle dernier, on affirmait encore que les jeunes gens qui arrivaient à la franchir d'un bond étaient sûrs de se marier dans l'année.

LOCMARIAQUER

(Morbihan) 1 286 h. Paris 498 - Auray 13.

Des rochers habités.

On voit beaucoup de rochers épars dans la lande. Autrefois, les *Kerions* (les nains) y habitaient, dit-on, et y faisaient la cuisine. Ces pierres ont la réputation de croître comme les arbres.

Une femme attachée à un dolmen.

Sur la plage de Kancereuk se dresse le dolmen des *Pierres-Plates*. Une pauvre servante, Marie Jaquette, cernée par la marée montante, trouva la mort sur cette roche. Elle eut le temps d'attacher ses cheveux autour de la pierre et l'on retrouva son corps que la mer n'avait pu entraîner. On l'enterra au pied du dolmen et les pêcheurs se signaient encore, à la fin du siècle dernier, lorsqu'ils passaient en cet endroit.

LOCMINÉ

(Morbihan) 2 236 h. Paris 457 - Vannes 28.

Le saint patron des imbéciles.

A la *chapelle Saint-Colomban*, on peut lire dans les litanies du saint, placées en-dessous de sa statue : « Saint Colomban, ressource des imbéciles, priez pour nous. » On enchaînait autrefois les fous furieux, pour obtenir leur guérison, dans les deux caveaux de la chapelle.

Environs
Chiffons diaboliques.

Dans la lande de Kerafray, à Moustoir-Remungol, le diable se dissimule auprès des pierres, sous la forme de chiffons qu'il faut se garder de ramasser.

Dolmen hanté.

A Naizin, le *dolmen de Quénéquan* passe pour abriter des korrigans.

LOCOAL–MENDON

(Morbihan) 1 853 h. Paris 500 - Auray 12.

Mégalithe chrétien.

Non loin du cimetière, sur la route de Locoal à Mendon, un lech de 1,40 m porte en relief une large croix inscrite dans un cercle. On l'appelle *Men-ar-Menah*, la *Pierre du Moine*.

Quenouille de trois mètres.

Auprès de Plec, hameau situé sur une sorte de presqu'île, une pierre cylindrique de 3 m de hauteur et de 60 cm de diamètre est surnommée *Ouégil-Bréhet*, la *quenouille de Brigitte*. A ses côtés, le *Gourhet* ou *fuseau*, qui n'a guère que 0,75 m de hauteur, porte sur l'une de ses faces une effigie grossière du Christ.

Le dolmen des nains.

Les dolmens de la *butte de Mane-er-Loh* étaient autrefois
visités, à date fixe, par des nains, les *Guerrioned*, qui y
célébraient leurs mystères.

LOCRONAN
(Finistère) 777 h. Paris 584 - Douarnenez 10.

Des relations au paradis.

Locronan est le lieu d'élection, en terre de Cornouaille, de
Saint-Ronan, dont on trouve encore trace au bourg de
Saint-Renan, en pays de Léon, et à Saint-René, en pays de
Tréguier, où il mourut.

Saint Ronan vint d'Irlande au ve siècle, à l'époque où
Grallon régnait à Quimper et s'installa en ermite dans la
forêt Sacrée ou *Koud Neved*. Une méchante femme, la
Keban, entreprit de le faire condamner pour infanticide et
magie : elle l'accusait d'avoir tué son enfant et de se changer
en loup-garou. On attacha Ronan à un arbre et on lâcha
sur lui deux chiens furieux. L'ermite fit un signe de croix
et les chiens s'enfuirent épouvantés. Quand il mourut, deux
buffles blancs le conduisirent au lieu où il est enterré. Quant
à Keban, elle frappa de son battoir la corne d'un des
buffles et maudit Ronan. Alors, la terre s'entrouvrit et
l'emporta dans les flammes de l'enfer.

Le *tombeau de saint Ronan* se trouve dans la chapelle du
Pénity qui jouxte l'église paroissiale; sur la place centrale du
bourg, qui a conservé intact son visage des xvie et xvii[e]
siècles et où se trouvent ces deux monuments, les maisons
de granit sont celles des tisserands de voiles qui firent la
prospérité de Locronan. Aujourd'hui, les tissages du
pays sont spécialisés dans l'artisanat d'art et les motifs
typiquement bretons.

Tous les ans, le deuxième dimanche de juillet, a lieu un
pardon appelé *petite Troménie* (du breton *Tro minihy*,
tour du monastère).

Tous les six ans se déroule la *Grande Troménie* entre le
deuxième et le troisième dimanche de juillet; elle est ouverte
par une procession solennelle qui parcourt les 13 km d'enceinte de l'ancien lieu d'asile de saint Ronan et qui s'achève
sur le sommet de la montagne de Saint-Ronan au lieu dit
Plas-ar-C'horn (*l'emplacement de la Corne*), en souvenir

du geste de la Keban; la Troménie se termine de même, le troisième dimanche du mois; tout fidèle peut individuellement accomplir le pèlerinage durant la semaine qui sépare la procession d'ouverture et la procession de clôture. Sur le parcours sacré sont disposés de loin en loin des reposoirs en l'honneur de vieux saints bretons, représentés par des statues de bois vermoulu; chaque reposoir est installé et gardé par les habitants d'une paroisse des environs qui vénère particulièrement le saint. Sur le trajet du retour, se trouve un gros rocher appelé *Ar Gazeg von*, la *Jument de pierre*; il passe pour accorder la maternité aux femmes stériles qui viennent s'y asseoir et y prier.

Selon la tradition, tout Breton qui a fait la *Grande Troménie* trois fois dans sa vie, individuellement, est sûr d'aller au Paradis. Le même résultat est obtenu s'il ne l'a suivie qu'une fois, mais en procession solennelle : le piétinement de la foule, la chaleur, le costume de fête rendent celle-ci infiniment plus pénible. Mais, dit un proverbe : *An hini ne raket an Drovini e beo e raï e maro a bed e cheri bemdeiz*, c'est-à-dire « Celui qui ne fait pas la Troménie de son vivant devra la faire après sa mort et n'avancera chaque jour que de la longueur de son cercueil. »

LOCUNOLÉ

(Finistère) 1 117 h. Paris 532 - Quimperlé 12.

La salle de séjour du diable.

Locunolé doit son origine à un ermitage de saint Guénolé, abbé de Landévennec, près duquel se serait constitué le bourg (*Loc-Gwénolé*). L'ermitage se situait à 2 km de là, dans l'énorme chaos de blocs qui domine l'Ellé et qu'on appelle les *rochers du Diable*. L'un a la forme d'une table, l'autre d'une chaire à prêcher, un autre encore d'une écuelle; c'était autrefois le ménage du diable. Saint Guénolé le lui disputa et finit par s'en emparer; il obligea même son adversaire à construire un pont sur l'Ellé. Le Malin, finalement vaincu, disparut dans la rivière, entraînant une pierre branlante qui creusa un abîme dont on n'a jamais sondé la profondeur.

Le trésor du diable.

Le *trésor du Diable*, cependant, est resté caché sous les rochers. Mais malheur à qui veut s'en emparer ! Une énorme truie noire, sortie d'on ne sait où et, suivie de ses marcassins, se jette sur lui et le dévore.

LODÈVE
(Hérault) 6 426 h. Paris 700 - Montpellier 54.

Environs
Rocher prénuptial.

A Montplaisir, le *roc Traoucat* est un rocher percé naturellement d'un trou de 3 m de diamètre, situé à 5 m du sol. Les garçons y emmenaient leur amoureuse et lui disaient : « Je te percerai comme ce rocher. »

Contre les coliques.

Une étrange recette est proposée ici pour couper les coliques. On place dans la chambre du malade un journal allumé à l'intérieur d'une chemise de femme. L'air chaud gonfle la chemise qui s'élève en l'air et qu'on rattrape pour la faire enfiler par le malade. Contre les maux de dents, on porte dans sa poche un nid de guêpes, vide bien sûr.

LOGONNA–DAOULAS
(Finistère) 1 371 h. Paris 580 - Brest 27.

Christ sur un menhir.

Au village de Rungleo, sur la route de l'Hôpital-Camfrout, se trouve un intéressant menhir christianisé. Surmonté d'une croix et taillé en pyramide tronquée, l'une de ses faces a été divisée en quatre registres superposés : dans le registre supérieur est sculpté le Christ ; les trois étages inférieurs sont, chacun, creusés de quatre niches contenant les apôtres.

Un granit de prix.

Le granit de la rivière de l'Hôpital, au sud-est de Logonna-Daoulas, appelé *granit de Kersanton*, est considéré comme la plus belle pierre de Bretagne ; il a été employé dans la construction de nombreux calvaires.

LONGPONT–SUR–ORGE
(Seine-et-Oise) 1 166 h. Paris 27 - Versailles 29.

Vierge préchrétienne...

Avant l'ère chrétienne, Longpont était un pays de forêts et de marécages où vivaient des druides qui vouaient un culte à la Vierge qui devait enfanter. Saint Denys évangélisa la région et profita de cette similitude entre les religions druidique et chrétienne. Longtemps après, des bûcherons découvrirent, dans un tronc d'arbre, une Vierge noire qui portait précisément une inscription sur son socle : *Virgini Pariturœ*, « à la Vierge qui enfantera », et qui était peut-être une Lucine gauloise. Cette statuette fut vénérée à Longpont jusqu'à la Révolution, et l'on assure qu'elle fit plusieurs miracles. Elle fut brûlée; il n'en subsista qu'un fragment en 1789 : la jambe droite.

...et des superstitions chrétiennes.

L'église renferme une *Notre-Dame-de-Bonne-Garde*, de grandeur naturelle, qui contient le fragment de l'ancienne Vierge noire. Elle possède également une petite Vierge noire du XVIIe siècle, *Notre-Dame-de-Bénédiction*, délogée, à la Révolution, de la chapelle des Filles-du-Calvaire à Paris. Elle est enfin très riche en reliques, parfois singulières, qui témoignent de certaines formes de dévotions anciennes; ainsi, la sainte robe de Notre-Seigneur, des fragments de langes de l'Enfant-Jésus, un cheveu de la Sainte Vierge, la ceinture de saint Pierre et bien d'autres. Ce trésor de reliques se trouve au bas du transept nord, dans un meuble monumental que l'on ouvre volontiers aux curieux. Pour l'essentiel, il fut réuni au Moyen Age; les Croisés contribuèrent largement à l'enrichir.

Sainte non canonisée.

A la construction de l'église se rattache la légende de sainte Hodierne, la fondatrice, que le peuple canonisa, mais qui ne fut jamais sainte pour l'église. L'adjectif lui est pourtant resté, et l'on peut voir sa légende, représentée sur trois chapiteaux historiés et rappelée par la *croix de Rouge-Fer*, qui se dresse sur une colonne au seuil de l'église.
On dit que dame Hodierne portait de l'eau aux maçons, soucieuse de contribuer, elle aussi, à la grande tâche. Elle

demanda un jour à un forgeron de lui faire un appareil pour
suspendre ses seaux à l'épaule. En ricanant, l'autre lui avait
tendu une barre de fer toute rouge, du bout de ses pinces.
Hodierne l'avait prise sans mal, mais elle avait maudit le
forgeron et sa femme, qui eurent tous les deux une triste
fin. Le morceau de fer fut reforgé en forme de croix, dite
croix de Rouge-Fer.

LONGPRÉ–LE–SEC
(Aube) 169 h. Paris 198 - Troyes 40.

Cimetière de luxe et tombes au rabais.
Il y avait un cimetière des riches, tout contre l'église, et un
cimetière des pauvres, de l'autre côté de la route. On enterrait
à l'écart, dans un lopin réservé, les Protestants, ainsi que
les mécréants, suicidés et pendus.

LONGUÉ
(Maine-et-Loire) 3 922 h. Paris 293 - Saumur 16.

L'ombre indique le trésor.
Les ruines du *château d'Avoir* passent pour recéler un trésor
considérable. L'emplacement exact est indiqué par l'ombre
du château, qui le recouvre pendant deux heures chaque
jour. La tradition ne précise pas l'époque à laquelle cette
ombre masque l'endroit où le trésor est enfoui.

LOQUEFFRET
(Finistère) 802 h. Paris 570 - Quimper 41.

Les poils de bœufs qui guérissent.
Au hameau de Saint-Herbot est une chapelle remarquable.
Magnifique croix à personnages (de 1571), dont la masse de
granit est posée en équilibre sur un simple fût. Voir à l'intérieur, au-dessous d'une *Pieta*, contre un pilier, une table
de pierre où les paysans déposent des touffes de crin prises
à la queue de leurs bœufs, pour assurer à leurs troupeaux
la protection de saint Herbot.

Le diable cerné par les gendarmes.

Du 15 au 22 novembre 1949, le diable a effrayé les quelques
habitants d'un hameau voisin de Loqueffret, dans la montagne d'Arrée. Dans la maison solitaire, toute la famille Jaffré
a entendu des coups sourds frappés dans la cheminée et des
bruits de pierres jetées sur la toiture, dès la nuit tombée.
Enfin, les Jaffré ont vu tomber dans la cheminée un mouton
en caoutchouc, ressemblant à un jouet d'enfant. Lorsque
le père de famille voulut s'en emparer, le mouton sauta sur
le lit et l'homme reçut quelques pierres sur le dos. Au cours de
la nuit, il sentit qu'une main mystérieuse lui tirait les
cheveux. Les gendarmes surveillèrent la maison ensorcelée
pendant plusieurs nuits. En vain.

LORGUES
(Var) 2 817 h. Paris 862 - Draguignan 14.

Les saints jouent à la pétanque.

Le *palet de Saint-Ferréol* est une roche de 3 m de diamètre
et de 1 m d'épaisseur. Il porte la trace des doigts du saint, qui
la laissa échapper, au cours d'une partie de palet qu'il
disputait avec saint Joseph de Cotignac et Notre-Dame des
Anges.

LORIENT
(Morbihan) 47 095 h. Paris 506 - Quimperlé 20.

La croix de Calvin.

Elle est aujourd'hui détruite. La croyance populaire a
longtemps rapproché ce nom de celui du réformateur. Il ne
s'agissait pas en réalité d'une croix de pierre rappelant la
présence ou le passage des protestants dans ce quartier.
Sur les vieux plans, on trouve Calvin écrit *Calahuen*.

La fontaine des Anglais.

A la sortie de Lorient, sur la route de Larmor. Lorsque les
Anglais assiégèrent Lorient en 1746, ils avaient établi une
batterie d'artillerie au bois de Kéroman et venaient se ravi-
tailler en eau potable à cette fontaine. Une inscription
rappelle l'événement. Le siège de Lorient échoua. Les vents

ayant changé, les Anglais durent précipitamment rembarquer. On chantait autrefois ce couplet patriotique :

> *Les Anglais remplis d'arrogance*
> *Sont venus attaquer Lorient (...)*
> *Mais les Bas-Bretons,*
> *A coups de bâton,*
> *Les ont renvoyés*
> *Jusqu'à Kérentrech.*

LORMES
(Nièvre) 1 715 h. Paris 251 - Corbigny 14.

Route construite en une nuit.
Les fées ont la réputation d'avoir construit les voies romaines des environs. Elles passent en particulier pour avoir bâti, en une seule nuit, en remplissant leurs tabliers de pierres, la voie qui va d'Autun à Lormes. Elles avaient aussi une fabrication dans le bois de Narvaux près de Lormes. Leurs objets de ménage : écuelles, plats, y ont laissé des traces dans les roches. Une des pierres porte même le nom de *grotte des Fées*.

LORREZ–LE–BOCAGE
(Seine-et-Marne) 697 h. Paris 90 - Montereau 17.

Village préhistorique.

La vallée du Lunain est particulièrement riche en vestiges préhistoriques. Sur le plateau qui domine le bourg de Saint-Liesnes, on trouve le menhir de la *Pierre Fitte*, la *roche au Diable* et une pierre-polissoir. On a découvert également les traces d'un village de civilisation néolithique. On trouve d'autres polissoirs, à Tesnières et aux lieux dits *la Rue-du-Gault*, *les Gros-Ormes*.

LOUARGAT
(Côtes-du-Nord) 2 570 h. Paris 576 - Guingamp 24.

L'oreiller de saint Hergat.

Auprès de deux menhirs on voit, sur une grosse pierre ronde, l'empreinte du corps de saint Hergat, de son oreiller et de son écuelle. Saint Michel jeta au diable des rochers dont l'un est encore visible, grosse pierre ronde creusée de cupules, tombée tout auprès de la *chapelle Saint-Michel*.

LOUBLANDE
(Deux-Sèvres) 546 h. Paris 375 - Cholet 11.

Une fontaine qui rend idiot.

Une fontaine de Loublande a la réputation, malgré la limpidité de son eau, d'affaiblir les facultés mentales de ceux qui s'y abreuvent. L'histoire des frères Ferrt a dû être inventée pour le démontrer : elle conte l'aventure de ces deux frères, simples d'esprit, qui finirent à la façon d'Icare, après s'être collé sur le corps des plumes d'oiseau et avoir voulu voler.

LOUDUN
(Vienne) 5 501 h. Paris 305 - Chinon 25.

Des possédés exorcisés.
Place Sainte-Croix s'élève l'ancienne église Notre-Dame-
hors-le-Château, où, pendant l'affaire des possessions, eurent
lieu de nombreux exorcismes.

Le carrefour du sabbat.
La rue François-Chrétien mène au *carrefour des Sorciers*,
où chaque samedi, jadis, se tenait le sabbat.

Attention à l'ensorceleuse!
La *Mantrible* est une bête au corps d'écureuil, gros comme
un chien, agile et vigoureux comme un diable, avec un très
beau visage de jeune fille. Ses yeux, la nuit, brillaient comme
des vers luisants : elle fréquentait le lit du Martiel et les
anciens marécages qui s'étendaient autrefois entre Bauçay
et Niré-le-Lolent; le jour, elle se tenait — comme le *Grand
Goul* — au fond d'un souterrain, non loin de Germier. Le
théâtre de ses exploits nocturnes était, selon sa fantaisie,
le prieuré de Sainte-Agathe de Bauçay, la *Fontaine-Bris-
seau*, les *Fontaines-Blanches*, la *Fontaine-du-Moulin-Patron*,
mais surtout le *Pont-de-Pierre* où viennent aboutir, aux
portes de Loudun, les routes de Tornay et des Trois-Mou-
tiers. La Mantrible était une facétieuse. Elle jouait des tours
pendables aux maraudeurs, aux amoureux attardés, aux
joyeux noctambules des hameaux de Bauçay, Germier,
Saint-Mandé, Insay, Vaux et autres lieux, qui s'oubliaient
trop tard, le dimanche et les jours de foire, à fêter le vin
blanc loudunois dans les cabarets des faubourgs. Malicieu-
sement la Mantrible plantait dans les yeux des uns et des
autres ses yeux de braise, en sorte qu'ils voyaient triple;
leur criait si éperdument aux oreilles en leur sautant à
l'échine qu'ils en prenaient subitement colique; les poussait
vers le fossé plein d'orties ou dans les fourrés d'épines, et
s'arrangeait pour leur faire fouler aux pieds *l'herbe de la
détourne*, si bien que, perdant leur chemin et revenant dix
fois au même endroit, ils n'arrivaient que le lendemain
matin chez eux. Mais si, par malheur, l'un de ces malchan-
ceux blasphémait, la Mantrible, en colère, lui sautait à la
gorge, raide comme un glaive, le saignait proprement pour
le sucer à blanc, puis regagnait son trou pour y dormir

quelques semaines. Mais si le passant était un homme juste devant Dieu et devant les hommes, la Mantrible lui sifflait un air guilleret et l'homme s'en allait regaillardi.

La patrie d'Urbain Grandier.

En 1634, sœur Jeanne-des-Anges, supérieure du couvent des Ursulines, imagina qu'elle était possédée du démon, ainsi que ses religieuses. Elle accusa formellement Urbain Grandier, curé de Loudun, de l'avoir envoûtée, d'avoir ensorcelé le couvent et d'avoir signé des pactes avec le diable. Laubardemont, conseiller d'État, le déclara « atteint du crime de magie, maléfice et possession. » Il fut donc « condamné à faire amende honorable, tête nue, et être son corps brûlé vif avec les pactes et caractères magiques restés au greffe. » Un de ces pactes, échappé au bûcher, est à la Bibliothèque Nationale. En réalité, sœur Jeanne-des-Anges voulait se venger de ce prêtre qui avait refusé la place de chanoine-directeur du couvent des Ursulines, qu'elle lui avait offerte. Après un simulacre de jugement, Grandier fut brûlé, en présence de 7 000 curieux, sur la place de Loudun. Elle porte aujourd'hui son nom.

LOUPERSHOUSE
(Moselle) 624 h. Paris 500 - Sarreguemines 20.

Une larme du Christ.

La nuit de Noël, celui qui puise de l'eau à la fontaine après minuit recueille dans son seau ou dans sa louche une larme d'or du Christ. Les légendes sur les vertus bénéfiques de l'eau courante pendant la nuit du solstice d'hiver sont nombreuses.

LOURDES
(Hautes-Pyrénées) 15 829 h. Paris 798 - Cauterets 30.

Apparitions et pèlerinages.

On ne saurait mieux faire que de résumer, ici, un article d'un membre de la Compagnie de Jésus paru dans la revue *Sanctuaires et Pèlerinages*, de juillet 1957, à l'occasion du centenaire des célèbres apparitions.

L'auteur note : 1° l'attachement de la Bigorre, et plus par-

ticulièrement de la vallée du Lavedan, commandée par
Lourdes, au culte de la Vierge; 2° l'élan de ferveur mariale
qui accompagna la restauration des sanctuaires de Notre-
Dame, sous l'impulsion de monseigneur Laurence, dans les
années qui précédèrent les apparitions de Lourdes. A 15 km
à l'ouest de Lourdes et dans les Basses-Pyrénées, le pèlerinage à Notre-Dame de Bétharram est déjà, au XIVᵉ siècle,
très populaire, peut-être le deuxième ou le troisième du
royaume. Une statue miraculeuse, mise à l'abri en Espagne
pendant les guerres de Religion, provoque des guérisons,
plus de 80 entre 1617 et 1646, dont celle de 6 paralytiques
et de 11 aveugles. En 1616, la croix de la colline de Bétharram, abattue par l'ouragan, est vue se dressant dans un
nimbe de lumière par 5 paysans. Les pèlerins viennent nombreux de Lourdes, dont les parents de Bernadette Soubirous.
Celle-ci, dès son enfance, en sera et, avec sa mère, elle est
encore au sanctuaire quelques semaines avant ses visions.
Dans la suite, au couvent de Nevers, elle répondra à propos
des *prodiges* de la grotte de Massabielle : « Le bon Dieu
s'est servi de moi, comme il s'est servi des bœufs de Bétharram pour découvrir la statue miraculeuse. » Ici Bernadette
se fait l'écho d'un récit folklorique oublié qui en a, ailleurs,
beaucoup d'analogues.

On sait que les apparitions qui ont commencé à la mi-
février 1858 ont d'abord été mises en doute dans le clergé
même. Mais le supérieur du couvent de Bétharram a vite
provoqué un revirement, et depuis, Bétharram s'est effacé
devant Lourdes.

Parmi les sanctuaires qui ont surgi à la place marquée par
un épisode pastoral, le Père jésuite nomme *Notre-Dame-de-
Brébières* (une brebis), *Notre-Dame d'Abet et de Nestès* (une
génisse), *Notre-Dame de Sarrance et de Bourisp* (un taureau),
Notre-Dame de Buglose (un bœuf). Pour Bétharram, il cite
le jésuite Poiré qui, au XVIIᵉ siècle, rapporte que des bergers
aperçurent, là où est aujourd'hui le grand autel de la chapelle, une lumière « vers laquelle estant accourus, ils ren-
contrèrent une belle image de Nostre-Dame. »

LOURMARIN

(Vaucluse) 665 h. Paris 755 - Apt 18.

On meurt encore de la malédiction gitane.

Le château Renaissance, longtemps abandonné, servit de
refuge aux bandes de gitans qui traversaient la Provence.
En 1920, il fut racheté et restauré; les nomades durent s'en
aller. Furieux d'être ainsi délogés, ils laissèrent, dit-on,
des graffiti de malédiction sur les murs de l'une des chambres.
Ces graffiti, heureusement conservés, sont très mystérieux.
Ils représentent une grande croix de calvaire, un navire à
voiles monté de plusieurs personnages gesticulants, une
série de cercles concentriques, des étoiles à cinq branches,
une *svastika*, un oiseau et un nom : *Armeny*. Les gens du
pays ont cru, très naturellement, à la prédiction des tziganes
décidés à se venger : le propriétaire, les membres de sa
famille, ses amis, étaient appelés à mourir de mort violente.
Effectivement, plusieurs se tuèrent en automobile, y compris
le propriétaire. L'accident qui coûta la vie à Albert Camus,
qui possédait une maison à Lourmarin, fut même attribué
à cette malédiction.

LOUVIERS

(Eure) 10 746 h. Paris 112 - Rouen 29.

L'affaire des possédées de Louviers.

Le couvent de Sainte-Elisabeth a été le théâtre de l'une des
plus étranges affaires de sorcellerie de l'histoire du
XVIIᵉ siècle, celle des *possédées de Louviers* : le 21 août 1647,
le Parlement de Normandie rendit l'arrêt suivant : « Vu
ce qui résulte des preuves du procès, la Cour a déclaré et
déclare Mathurin Picard et Thomas Boullé dûment atteints
et convaincus des crimes de magie, sortilèges, sacrilèges et
autres impiétés et cas abominables commis contre la majesté
divine... et ordonne, pour punition et réparation de ces
crimes, que le corps dudit Picard et ledit Boullé seront,
ce jour d'hui, délivrés à l'exécuteur des sentences criminelles,
pour être traînés sur des claies par les rues et lieux publics
de cette ville (Rouen), et étant ledit Boullé devant la principale porte de l'église cathédrale Notre-Dame, faire amende
honorable, tête et pieds nus, et en chemise, ayant la corde
au cou, tenant une torche ardente du poids de deux livres,

et là, demander pardon à Dieu, au roi et à la justice. Ce fait,
être traînés en la place du Vieux-Marché, et là, le corps
dudit Boullé brûlé vif, et le corps dudit Picard, mis au feu
jusqu'à ce que lesdits corps soient réduits en cendres,
lesquelles seront jetées au vent... »

Par le même arrêt, Madeleine Bavent fut déclarée déchue
de sa qualité de religieuse et condamnée à être enfermée à
perpétuité dans un des cachots des prisons ecclésiastiques
de l'officialité. Le Parlement se réservait, en outre, de procé-
der à des informations contre Simone Gaugain, alors supérieure des Hospitalières de Paris, accusée de complicité
pour le crime de magie. Malgré la torture qui lui brisa les
membres, Thomas Boullé nia avoir commis les crimes dont
on l'accusait.

Quinze religieuses de Louviers avaient été possédées par
quinze démons qui leur avaient révélé leurs noms : Putiphar,

Léviathan, Dagan, Encirif, Arphaxat, Bohémond, Ramond, Béérith, Grongad, Gonzague, Acéaron, Phaéton, Asmodée, Calconix et Arcelat. Ces malheureuses pliaient leur corps jusqu'à mettre la tête près des talons, la bouche contre terre, le ventre élevé en arcade. Elles étaient jetées à terre parfois de toute leur hauteur, sans que l'on remarquât sur elles aucune contusion. Après les exorcismes, plusieurs se précipitèrent dans un puits, mais aucune d'elles ne serait tombée au fond, les unes se soutenant seulement par les épaules, les autres par le pouce et les doigts. Le démon Acéaron parla trois heures par la bouche d'une religieuse. Léviathan et Grongad étonnèrent les membres de la commission. Asmodée éblouit le conseil par sa parfaite connaissance du grec, du latin et de l'hébreu. Certaines religieuses exécutaient à la messe des bonds prodigieux atteignant plusieurs mètres. D'autres riaient, juraient, chantaient et blasphémaient pendant les offices. Après les exorcismes, le démon Putiphar, qui, le premier, abandonna la partie en sortant du corps de la sœur Marie du Saint-Sacrement, fut contraint de laisser sur le sein de la religieuse une marque visible de son repentir, des lettres rouges et vives imprimées dans la chair blanche : « Vive Jésus sur la Croix ». Plusieurs possédées demeurèrent paralysées. La sœur Louise de l'Ascension fut contrainte d'user de béquilles durant une année entière. Les charmes au moyen desquels on avait tenté de pervertir le monastère étaient composés de poils de bouc et d'ingrédients à base de chair humaine mêlés à des hosties. Léviathan et Putiphar avouèrent qu'ils avaient déposé douze charmes que l'on retrouva dans des fosses. Les démons révélèrent que le monastère comptait une magicienne, la religieuse Madeleine Bavent, qui avait envoûté ses compagnes en leur présentant une écorce de citron déposée dans le dos du Grand Bouc pendant la nuit du Sabbat. Madeleine avoua qu'elle avait été « initiée » par l'ancien directeur du couvent, Mathurin Picard, dont on décida de déterrer le corps — qui avait été inhumé devant la grille du chœur — et de le jeter dans une fosse voisine du couvent de Sainte-Elisabeth, le *Puits-Crosnier*. Mais, le cadavre ayant été découvert, le monastère fut contraint de reprendre son funeste dépôt et les démons, de nouveau, possédèrent les religieuses jusqu'à ce que les exorcistes, sous la direction du grand pénitencier d'Évreux et de l'archevêque de Toulouse, eussent réussi à vaincre cette conjuration d'anges maudits contre des religieuses, presque toutes très jeunes.

A Louviers, on a signalé, en 1948, des phénomènes surnaturels dans une maison hantée. Des coups auraient été frappés en cadence; un couteau fiché dans le sol se serait élevé dans les airs; une chaise, soulevée mystérieusement, aurait traversé la cuisine en tournant et en dansant.

LUC–EN–PROVENCE (Le)
(Var) 3 300 h. Paris 853 - Draguignan 29.

Des sorciers dans les ruines.

Les ruines d'un château dominent le bourg : elles portent le nom mystérieux de *Pigeonnier des Masques*, probablement parce que les oiseaux nocturnes, assimilés aux sorciers ou *masques*, nichaient dans ses greniers.

LUCÉRAM
(Alpes-Maritimes) 568 h. Paris 986 - Nice 27.

Le souvenir du saint Graal.

Ce village est un des rares en France à posséder une *chapelle Saint-Grat*, c'est-à-dire dédiée au saint Graal, le vase d'émeraude dans lequel Joseph d'Arimathie aurait recueilli le sang du Christ.

LUCERNE–D'OUTREMER (La)
(Manche) 797 h. Paris 318 - Avranches 17.

Architecture inexplicable.

La chapelle romane de l'abbaye, dont la nef est partiellement en ruine, fut construite de 1164 à 1178. L'eau ruisselle dans une rigole au milieu des celliers voûtés (XIIe siècle) aux lourds chapiteaux carrés. Dans la salle des hôtes, dont les poutres sont énormes, cinq niches, dont l'accès est très difficile, furent découvertes en 1961, dans l'épaisseur du mur est; aucune explication valable n'en a encore été donnée. Un large conduit vertical, découvert dans le mur nord, garde également son mystère. On sait seulement qu'il ne s'agit là ni d'une cheminée, ni de latrines,

ni d'un monte-charge. D'autres fouilles sont en cours,
notamment au chapitre, où l'on accède par des arcades
géminées, en face du *lavatorium* roman du cloître. Au-dessus
des salles de la porterie se trouvent la *bailleverie* et la *cohue
l'Abbé*, où le sénéchal du monastère rendait la justice. Dans
ces salles ont lieu périodiquement des expositions d'art ou
de folklore : on y voit les emblèmes des confréries de *charitons*
normands, des chapes, des chasubles, des dalmatiques
anciennes en brocart et damas, qui constituent le trésor
actuel de l'abbaye.

Dans la chapelle, où l'on garde les reliques de saint Achard,
on voit souvent des paysans venus implorer la guérison
de leurs maux. Ils se font lire les Évangiles par des prêtres
qui leur posent l'étole sur la tête.

LUCHEUX
(Somme) 608 h. Paris 167 - Amiens 37.

Une pierre qui disparaît périodiquement.

Dans la vaste forêt de Lucheux, la *pierre de Haravesne*
semble subir des éclipses. On la décrit pour la première fois,
en 1831, comme un vestige de dolmen, présentant sur sa face
supérieure un trou par lequel s'écoulait le sang des victimes.
En 1842, le dolmen semble avoir disparu. En 1851, les
archéologues redécouvrent la pierre, sur laquelle, pensent-ils,
les Gaulois immolaient des victimes humaines à leur dieu
Teutatès : elle a 2,37 m de long, 1,45 m de large et 0,50 m
d'épaisseur en moyenne. Le curé de Lucheux précisait
même : « Elle porte un trou pratiqué en forme d'entonnoir,
ayant 40 cm de diamètre; aux deux côtés de ce trou, il
existe deux rainures façonnées (...) et sur l'une des faces
de ce côté, on voit des caractères inconnus. »

La pierre ne présente plus aujourd'hui de cavité apparente;
on suppose qu'elle a roulé et s'est retournée.

Pour les époux autoritaires.

Sur l'une des places du village, *l'arbre des Épousailles*
est un tilleul fourchu qui fut classé monument naturel en
1930. Selon la tradition, celui des deux époux qui passait
le premier dans l'espace vide formé par les deux troncs,
était certain d'être toujours le maître dans le ménage. On

y venait des villages voisins et du Pas-de-Calais. Cette
coutume rappelle les rites de passage et de purification dans
les pierres et les arbres.

LUNEL
(Hérault) 7 758 h. Paris 747 - Montpellier 23.

Une ville fondée par les Hébreux.
La fondation de cette ville est due, chose rare en France,
aux Hébreux. Elle porte dans ses armoiries le croissant
d'Isis et d'Astarté. On appelle ses habitants les *pescaluna*,
ou *pêcheurs de lune*, depuis que, dit-on, ils ont essayé de
saisir l'astre nocturne avec un panier percé.

Environs
Aqueduc naturel.
A Aubais, le Lissac coule dans un défilé naturel, taillé à
pic dans le rocher avec une telle régularité que l'on a cru
longtemps que c'était là un ouvrage des Romains.

LUNERAY
(Seine-Maritime) 1 458 h. Paris 180 - Dieppe 20.

Le trésor des fées.
Cette localité, qui fut le berceau du protestantisme dans le
pays de Caux, est voisine de la commune de La Gaillarde.
Dans la plaine qui s'étend entre les deux villages se rencontrent plusieurs puits très profonds. On prétend que les
fées y ont déposé leur trésor. Elles y apparaissent souvent,
la nuit, et dansent.

LURS
(Basses-Alpes) 362 h. Paris 800 - Forcalquier 10.

Dragon converti.
Il y a dans les environs un rocher dont un dragon avait
fait son repaire. Chaque nuit, pendant fort longtemps, il

dévasta le pays. L'évêque de la région décida de l'exorciser.
Le dragon mourut presque aussitôt, mais il eut le temps de
graver sur la pierre, sous laquelle il tentait de se cacher :
hic dominum jacet servorum Domini. Ce qui paraît prouver
que son âme fut sauvée *in extremis.*

LUSIGNAN
(Vienne) 2 047 h. Paris 362 - Poitiers 25.

La sirène Mélusine.

Piganiol de la Force écrivait, en 1718, dans sa *Nouvelle
description de la France :*

« Les auteurs romanesques assurent que le château fut
bâti par une fée moitié femme, moitié serpent, *appelée Mélusine ;* mais il est sûr qu'il le fut par Hugues II, Seigneur
de Lusignan, surnommé le Bien-Aimé. On a d'ailleurs
remarqué qu'il n'y a point eu de femme du nom de Mélusine dans les Branches de la Maison de Lusignan éta-
blies en France (...). On doit donc conclure que Jean
d'Arras, auteur du Roman de Mélusine, Jean Bouchet en
ses Annales, et Frère Estienne de Lusignan, n'ont pas été
plus sorciers que Mélusine, dont ils rapportent tant de
fables. Brantôme même, tout enthousiasmé qu'il était de
Chevalerie, n'a pu s'empêcher de reconnaître pour des
fables la plupart des choses qu'on disoit de Mélusine :
*Et bien que ce soient fables, dit-il, si ne peut-on dire autrement
que tout est beau et bon d'elle.* »

Brantôme relate que, de passage à Lusignan, Charles-Quint,
puis la reine mère, se firent conter la légende de Mélusine
par de vieilles lavandières. Rabelais, qui, moine franciscain,
a vécu très près du peuple, dit avec un sourire équivoque :
« Visitez Lusignan, Partenay, Vovant, Mervant et Pouzauges-
en-Poitou. Là, trouverez tesmoings vieulx de renom et de
la bonne forge, lesquelz vous jureront sus le braz de sainct
Rigomé que Mélusine, leur première fondatrice, avaoit
corps foeminin jusques aux boursavitz et que le reste, en
bas, estoit andouille serpentine ou bien serpent andouillique. »

Bains pour Mélusine.

La fontaine de Mélusine à Lusignan est connue sous le nom
de *Font de Cé.*

C'est là que les lavandières ont vu, au XVIᵉ siècle, Mélusine se baigner sous la forme d'une très belle femme et en habit de veuve. Cette fontaine, en bordure même de la grand-route, a été captée en 1912; elle est entièrement murée et presque invisible. Un boulanger-pâtissier, conserve, en ce lieu de passage, un moule à fouaces en forme de Mélusine, et le voyageur, s'il ne voit plus la Font de Cé, peut au moins consommer une « dame-serpente » en pâte sucrée.

Descendants de Mélusine.

Mais comment une petite sirène locale a-t-elle pu, assez brusquement, atteindre à la célébrité et bien loin de son lieu d'origine? Tout tient à l'extraordinaire fortune des Lusignan. Avec la croisade, cette famille, auparavant obscure, devient tout à coup illustre. Un Lusignan, sorti de son coin de terre, se fait roi de Chypre et porte même le titre de roi de Jérusalem. Le peuple, frappé par cette brusque ascension. l'a expliquée par la protection de la fée du lieu. La pérennité de Mélusine a été assurée par des alliances des Lusignan puis d'autres familles se recommandèrent de Mélusine, à Châteaumaillant, près d'Arthonnay (Yonne), au château de Montelier (Drôme), etc., sans compter les premières propriétés des Lusignan en petite Bretagne (Fougères, Suscinio). Les Sassenage du Dauphiné, fort anciens, n'avaient rien à envier aux Lusignan, et pourtant ils se sont vantés, eux aussi, de leur parenté avec Mélusine qui se baignait dans les cuves formées par le torrent.

Mélusine et la littérature.

Le puissant levier pour la célébrité de Mélusine aura été le roman de Jehan d'Arras, intitulé : *La noble hystoire de Lusignan*, rédigée, semble-t-il, en 1392-1393. Cet auteur, propriétaire à Arras, a toute chance d'être le libraire du même nom et même prénom établi à Paris aux dates indiquées. Ce libraire était aussi layetier et relieur. Profitant des goûts de grands seigneurs d'alors, qui voulaient avoir leur « librairie », il faisait des coffres à livres, recouvrait des manuscrits en soie verte de Damas et en cuir de cerf, nettoyait, reblanchissait, redorait. Il était aussi fort savant. Le duc Jean de Berry s'en aperçut en le chargeant de vêtir ses livres et c'est au service du duc de Berry qu'il écrivit l'histoire précitée, véritable manuel pour l'éducation des princes et, comme tel, assuré d'un très grand succès.

Vraies et fausses Mélusines.

Très souvent, et notamment dans des sculptures d'églises, une sirène-poisson est qualifiée de Mélusine. Le bestiaire des voussures et chapiteaux romans comprend, d'importation méditerranéenne et classique, des tritons et des sirènes. Mais si l'on veut trouver le prototype antique de Mélusine, il convient plutôt de le chercher dans la figuration athénienne du fabuleux Erichtée, successeur de Cécrops au trône, qui était d'une taille gigantesque avec un corps d'homme terminé par une queue de serpent. L'Erichthéion impose encore son nom aux visiteurs, à l'entrée de l'Acropole. Véritable « grand-mère » de Mélusine, pour reprendre le qualificatif d'un de nos correspondants, se able être le personnage fantastique dont parle Hérodote : ce premier historien des Grecs raconte comment Hercule emmenant les bœufs de Géryon, arriva dans le canton de Scythie appelé *Hylée*. Là, il rencontra dans un antre un monstre composé de deux natures, femme depuis la tête jusqu'au dessous de la ceinture, serpent par le reste du corps. Hercule épousa cette monstrueuse souveraine du pays. Elle lui donna trois fils : Agathyrsus, Gelonus et Scythès. Ce dernier, qui bandait l'arc comme son père et portait, attaché à son baudrier, une coupe d'or, aurait été l'ancêtre des rois scythes.

LUSSAC

(Gironde) 1 572 h. Paris 557 - Libourne 13.

Sacrifices humains.

Un dolmen est dit *pierre des Martyrs*. Il présente sur sa face supérieure une sorte d'ange, dont la signification exacte est inconnue. La présence d'un conduit d'écoulement permet de supposer qu'il servait à des sacrifices.

Trésor abandonné par les moines.

Un souterrain reliait Lussac et Faize, où se trouvait une abbaye. Au moment de la Révolution, les moines de l'abbaye emportèrent leurs reliques et leurs trésors par ce souterrain, et en sortirent les mains vides. Le souterrain se remplit alors d'eau ; depuis, il est toujours inondé.

LUSSAGNET
(Landes) 89 h. Paris 700 - Mont-de-Marsan 25.

Guérisons annuelles.
De minuit à minuit, le 24 juin, la *fontaine de Saint-Jean*
guérissait les malades. On venait s'y baigner dans des auges
de bois, qu'abritaient des huttes de feuillage. Alentour, on
dansait. Jusqu'aux dernières années du XIXe siècle, le curé
vint chaque année bénir la fontaine.

LUTHENAY–UXELOUP
(Nièvre) 663 h. Paris 252 - Nevers 20.

Château construit en une nuit.
Le château de Rosemont fut bâti en une nuit par les fées;
il est inachevé parce que la dernière fée à y travailler n'apportait dans son tablier que l'équivalent de cent tombereaux
de pierre et de terre, ce qui ne permit pas de terminer avant
le chant du coq. Selon une autre tradition, les pierres
venaient d'elles-mêmes à l'appel des fées, qui se contentaient
de maçonner.

Serpents et trésors.
Dans le château de Rosemont est un trésor gardé par une
« serpente volante » qui est couchée dessus. Cette « serpente »
va boire, la nuit, au ruisseau de la Colâtre. Elle porte un
collier de diamants au cou. Le trésor fut découvert par le
fermier du château, qui n'osait pas le prendre, et qui demanda
conseil au curé. Pour transporter le trésor, on le fit tirer par
un chien. Le fermier ne prit qu'une partie du trésor; si on
le prend tout entier, on meurt dans l'année. Ainsi, le frère
du fermier, qui voulait prendre tout le reste, mourut peu
après. Quant à l'argent, il fut changé à Clermont-Ferrand.
Selon une autre version, tous les soirs, après l'angélus, on
voyait la « serpente » descendre comme une longue flamme
à la *fontaine du Cré* ou au ruisseau du Bourdijau. Le trésor
fut trouvé par un porcher qui vit une pièce d'argent étinceler
entre deux pierres dans les fossés. On voulut prendre le
trésor, mais « la serpente » était dessus. La tradition mentionne aussi un souterrain allant de Villars à Rosemont. Un
énorme serpent en garderait l'entrée, qui se trouve à 100 m
du château.

LUXEUIL–LES–BAINS
(Haute-Saône) 6 691 h. Paris 368 - Belfort 51.

Villégiature celtique.

Célèbre pour ses sources chaudes, Luxeuil fut occupée dès
la plus haute antiquité. Les Celtes établis dans la région
y vénéraient les génies locaux, Bricia et Lussoins, et la
déesse des eaux, Sirona. L'influence romaine fit ensuite
adorer Apollon, le dieu guérisseur. La première cité fut
entièrement rasée par les Huns. Il fallut un monastère de
Saint-Colomban pour la faire peu à peu revivre.

Pays de miracles.

Le *gobelet de Saint-Valbert*, à l'ermitage de ce nom, guérissait
les fièvres. La *fontaine de Saint-Léger*, entre Luxeuil et Maille-
roncourt, celle de *Sainte-Ursule*, la *source de Saint-Pancrace*,
à Fontaine-lès-Luxeuil, étaient réputées miraculeuses.

Le cercueil se lève.

En même temps, les croyances au surnaturel et au fantastique se font nombreuses et tenaces. A Servance, un cercueil
se dressa de lui-même et barra la porte; il fallut l'exorciser
pour qu'il se dissipe en fumée comme un fantôme. Près du
château de Beaudoncourt apparaissait une *dame blanche*.

Près de l'ermitage de Saint-Valbert, on voit encore un rocher qui porte les griffes du diable, sous la forme d'une série de crevasses très régulières. Sur la route de Vauvillers à Saint-Loup, près de Cuve, la *fontaine Belot* est un lieu de sabbat. De nombreux noms de lieux évoquent encore le surnaturel : *Champ d'Enfer* à Bouligney, *l'Enfer*, à Cuve, le *Trou-aux-Fées*, près de Luxeuil.

Épidémie de sorcellerie.

Au XVIᵉ siècle, apparurent dans la région les symptômes d'une véritable épidémie de sorcellerie. Ce fut d'abord l'affaire de *la Mansenée*, nom d'une femme de vingt-sept ans, du village d'Anjeux, qui passait pour guérisseuse et cueilleuse d'herbes. Arrêtée et accusée de sorcellerie, elle avoua avoir eu commerce avec le diable, assisté au sabbat, s'être donnée au Malin en échange d'une chandelle verte et de reniements. La Mansenée fut brûlée vive sur un lit d'épines entre les deux ponts de Saint-Sauveur. Ce supplice marquait le début d'une horrible « chasse aux sorcières ». Cent ans après en 1628, en pleine détresse, misère et révolte du pays comtois, de nombreux paysans sont saisis et incarcérés comme sorciers, tandis que les habitants vivent sous la double terreur du démon dénoncé partout et des exactions des Inquisiteurs. Sur le *champ-Paquier*, pâturage toujours visible au centre du village d'Anjeux, les bûchers s'élèvent, de plus en plus nombreux. Les accusés, hommes et femmes, multiplient les aveux, qui, sans trop varier, décrivent les lieux et scènes de sabbat. Ces endroits maudits peuvent être aujourd'hui parcourus dans les environs de Villers-lès-Luxeuil : au *Bas-Travaillot*, aux *Prels-de-Villers*, au *Dessous-les-Vignes* (près d'Ehuns), à Lavancourt, à Montaneissin, etc. Mais le lieu de sabbat le plus souvent cité est Chanteraine, plaine légèrement ondulée, plantée de quelques peupliers. Une croix ancienne dénonçait ici une conjuration de forces maudites. Cent prétendus sorciers et sorcières furent, entre 1604 et 1632, torturés, bannis ou exécutés.

LUZILLÉ

(Indre-et-Loire) 1 007 h. Paris 227 - Amboise 20.

Polissoir préhistorique.

Vers le hameau du Coudray existe un très beau polissoir, énorme bloc de rocher enfoncé dans le sol. Une large rainure,

déterminée par le frottement du plat des haches, fut longtemps considérée comme une trace laissée par saint Martin.
Au sommet de cette pierre, dite *pierre Saint-Martin*, on
remarque une sorte de cuvette, peut-être destinée en son
temps à contenir l'eau nécessaire au polissage.

LUZ–SAINT–SAUVEUR
(Hautes-Pyrénées) 1 891 h. Paris 829 - Cauterets 22.

Une fontaine qui donne des enfants.
C'est une fée qui révéla les vertus de la *source Hountalade
(fontaine de l'Ailée)*. Ellen, une bergère, se désolait de
n'avoir pas d'enfant. Elle fut se plonger, sur le conseil de
la fée, dans la source où son troupeau se désaltérait et eut
bientôt la joie de mettre au monde deux jumeaux. Bien
des années plus tard, en 1569, un évêque, qui s'était réfugié
dans les montagnes pour échapper aux Huguenots, remarqua
la source dont la rumeur publique vantait les vertus. Il fit
construire un petit bâtiment pour en recueillir les eaux et
donna à la source le nom de Saint-Sauveur.

Église en os de serpent.
Dragons et fées se partagent les légendes du pays de Luz.
Ainsi un serpent énorme aurait laissé sa trace dans les
vallées. On disait que sa tête reposait au Pic de Bigorre
tandis que sa queue atteignait Gavarnie. Il rejeta un jour
tant d'eau qu'il créa le lac d'Isabit. On voulut un jour
construire une église avec ses côtes; la grêle tomba si fort
qu'elle anéantit les premiers travaux.

Environs
Trois fées à marier.
Les fées qui hantent les sommets du Bergons vont toujours
par trois, telles les Parques. On les dit bienveillantes. Il leur
arrive de s'éprendre d'un berger; le malheur s'abat sur lui
s'il est infidèle.

Un troupeau de mammouths.
Le *chaos de Coumély* est un extraordinaire entassement de
rochers, sur la route qui relie Gédre à Gavarnie, à une
quinzaine de kilomètres de Luz. Il serait dû, selon Grégoire
de Tours, à un tremblement de terre. On peut y voir, selon

sa fantaisie, des ruines, des avenues, des ogives, des masto-
dontes de pierre et comme un troupeau de mammouths,
dans une solitude désolée où ne pousse aucune végétation.

LYON
(Rhône) 471 279 h. Paris 476 - Saint-Étienne 56.

Mort pour un verre d'eau.
C'est à cause d'un verre d'eau glacée (qui contenait peut-être
quelque poison glissé à l'instigation de l'ambitieuse Catherine
de Médicis) que le Dauphin François, héritier de la couronne
de France, trouva la mort en 1536 au Jeu de Paume d'Ainay.
Son père, François Ier, prit alors en horreur la ville qu'il
adorait. Lyon perdit ainsi sa chance de devenir capitale de
la France. Pourtant Lyon, avec ses 60 000 habitants, menait
d'une longueur devant Paris (qu'elle surpassait en outre
par son rôle commercial et financier).

Menhir à sacrifices.
Aux portes de la ville, à Décines (Isère), un menhir appelé
Pierre frite passe pour avoir servi à des sacrifices humains.
On peut le voir dans le jardin municipal où il a été transporté.

Aérolithe ou pierre sacrée?

Lyon possède également un *gros caillou*. Depuis qu'il a été placé sur un socle à l'extrémité du boulevard de la Croix-Rousse, le 12 avril 1891, au milieu d'un grand concours de population, rares sont ceux qui savent ce qu'il représente au juste. On raconte qu'il s'agit d'un aérolithe, voire d'une pierre sacrée druidique ou d'un bloc erratique abandonné là par les glaciers. En réalité, ce pesant bloc, indiscutablement de provenance glacière, fut découvert en 1890 lors du percement du tunnel du funiculaire (la « ficelle ») reliant la place Croix-Paquet au sommet de la Croix-Rousse. Qu'en faire alors? On envisagea d'abord de l'enterrer de nouveau; puis, sur la suggestion de quelques malicieux édiles, de le mettre en vedette sur le « plateau ». Ce qui fut fait.

Deux théâtres romains.

Des édifices du Lyon romain il subsiste le groupe des deux théâtres récemment dégagés. Le théâtre romain (où se déroulent les manifestations artistiques du *Festival de Lyon*) appartient à un type à la fois grec (adossement à la colline de Fourvière) et romain (système des murs et des voûtes). La scène est bien conservée. Commencé à la fin du Ier siècle, ce théâtre fut agrandi au début du second, et peut encore contenir 10 000 spectateurs sur ses gradins. Derrière, on dégage les assises d'un temple de Cybèle. L'autre théâtre, accolé au premier, est un odéon. De dimensions réduites, il peut recevoir 3 000 personnes.

Un musée gallo-romain qui regroupera toutes les antiquités est en cours d'aménagement à proximité.

Le cachot d'un évêque.

Aux abords de cet ensemble, dans une crypte de l'hôpital de l'Antiquaille (construit sur les ruines d'un palais où naquit notamment l'empereur Caracalla), on visite le cachot de Saint-Pothin, premier évêque de l'église de Lyon, martyrisé sous Marc Aurèle.

Vol d'un discours romain.

Les *tables claudiennes* (tables de bronze où a été gravé le texte du discours célèbre de l'empereur Claude en faveur des libertés gauloises) occupent une paroi du vestibule de la galerie des Antiques au *Palais des Arts* (musée Saint-Pierre). Ce document, que l'on dit avoir été volé dans des conditions inexpliquées, a été retrouvé sur la côte Saint-Sébastien (à peu de distance de l'actuelle église Saint-Polycarpe), au mois de novembre 1528, dans la vigne d'un marchand drapier.

La mâchoire de saint Jean–Baptiste.

La *cathédrale Saint-Jean* a été reconnue comme primatiale des Gaules en 1079 par le pape Grégoire VII, pour tenir compte de l'ancienneté du siège archiépiscopal de saint Pothin (XIe siècle). Elle doit son nom à une précieuse relique : un os de la mâchoire de saint Jean-Baptiste. C'est un édifice imposant où se distinguent quatre étapes de construction, de l'art roman au style gothique (entre 1165, date de sa mise en chantier sur des fondations millénaires, et 1480, année de son achèvement). Les marbres et les blocs de calcaire que l'on admire dans les parties primitives proviennent des ruines du forum romain. Le dernier maître d'œuvre, Marceau, mit en place sur la façade les blasons du pape Sixte IV (François de la Rovere) et du roi de France Louis XI, qui régnait alors. Dans ce sanctuaire se maintiennent des traditions liturgiques uniques en France, fort différentes du rituel romain; caractérisées par le grand nombre des officiants, on ne les rencontre ailleurs qu'à Milan et à Tolède. Les messes pontificales y sont d'une particulière splendeur. A l'intérieur se trouve une curieuse horloge astronomique construite en 1598 par Nicolas Lippus, mathématicien de Bâle, souvent réparée et modifiée depuis. En 1660, le vertueux chanoine Claude de Saint-Georges, qui devint archevêque de Lyon, y fit supprimer deux têtes de lions qui tiraient la langue au moment des sonneries. Aujourd'hui, cette horloge ne sonne et ne s'anime qu'à midi, 13 heures, 14 heures et 15 heures... Le XIVe siècle acheva la nef et éleva l'essentiel de la façade : la décoration sculptée est concentrée sur les trois portails, dans la partie basse des soubassements. Certains motifs sculptés sont singuliers. Sur l'un des pilastres du portail de gauche, un homme à demi nu, exhibant son sexe, porte sur son dos une femme qui le fouette. (Ce médaillon tranche sur les autres par la couleur de vieil ivoire qu'il a prise sous les attouchements fréquents. Il s'agit là d'une évocation de la *chevauchée du repentir*, dite aussi *chevauchée de l'âne*, qui voyait le premier dimanche de Carême ou « jour des brandons » la honteuse procession des maris bafoués.) A droite, un autre médaillon, aussi assidûment frotté par des mains

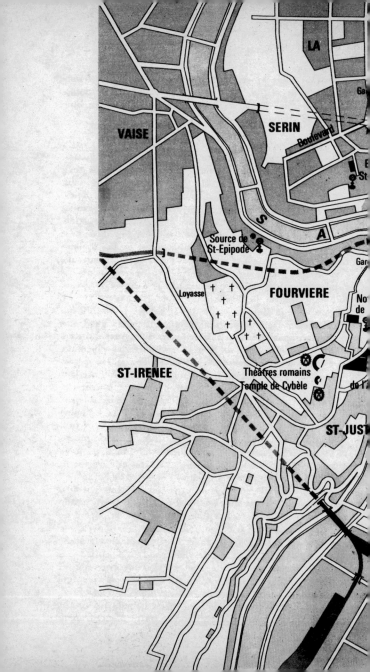

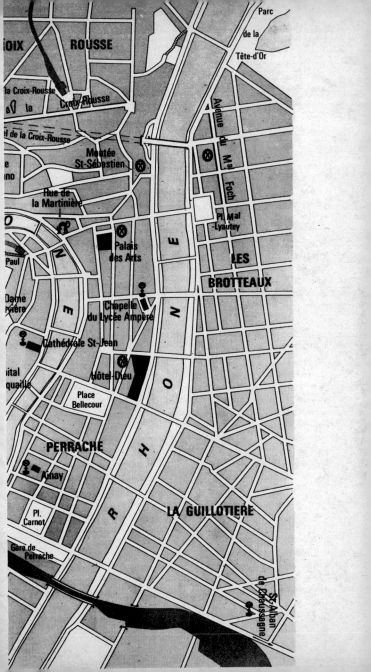

anonymes, représente une sorcière nue se rendant au sabbat à califourchon sur un bouc et brandissant un chat dans la main gauche. Plus loin, c'est le *svastika* de quatre lièvres enlacés qui forment avec leurs oreilles le carré parfait des alchimistes et des tailleurs de pierre. En outre, les dessous des consoles qui supportaient autrefois les grandes figures saintes de la façade sont extraordinairement illustrés. On remarquera surtout, à l'extrême gauche, le *lai d'Aristote*, qui rappelle comment, le fondateur de l'école péripatéticienne ayant voulu arracher son élève Alexandre des bras d'une courtisane, cette dernière jura de se venger du vieux philosophe par le jeu de l'amour. Le sculpteur nous montre Aristote, séduit à son tour, cheminant à quatre pattes : la jeune femme, sur son dos, le cingle et le bride. Enfin, blottie contre la cathédrale, le joyau du XIe siècle, la *Manécanterie*, qui doit sa survie à la Révolution ; le clergé s'apprêtait en effet à l'abattre. Cet écrin roman abrite le trésor de la cathédrale, riche d'objets d'art byzantin du XIIe siècle.

L'humour religieux.

La *basilique Saint-Martin-d'Ainay*, jadis enclavée entre les remparts d'une puissante abbaye, est un chef-d'œuvre de l'art roman de la fin du XIe siècle. La façade est constituée par un clocher-porche à trois étages d'ouvertures, surmonté d'un pyramidion cornu qui donne vaguement à l'édifice l'allure d'un gros chat accroupi. La décoration extérieure polychrome est constituée, à la hauteur du troisième étage, par une frise figurant les signes du zodiaque et des outils anciens de maçonnerie. Aux chapiteaux des pilastres de la travée du chœur, on trouve le premier signe d'humour du haut Moyen Age : Adam se couvre la face de sa main gauche, mais n'oublie pas d'écarter les doigts pour risquer un œil sur les faits et gestes de Dieu le Père. Sur le flanc méridional de l'église, c'est l'ancienne chapelle Sainte-Blandine, du Xe siècle, sous laquelle se trouve une petite crypte où les restes de la martyre auraient été déposés. La pauvre Blandine ayant été livrée au taureau, la solennité de la *Fête des Merveilles*, en juin (qui vit défiler une procession de barques de Veise à Ainay durant sept siècles, du IXe au XVe) avait, aussi bien pour justificatifs, à l'origine, la vénération d'une pierre d'Ainay, dite *pierre de Saint-Pothin*, que le sacrifice expiatoire d'un taureau qui était précipité dans l'eau de la Saône, puis enfin récupéré et écorché. Cette fête finit par dégénérer : à un tel point qu'elle fut interdite.

Une chapelle contre le choléra.

Écrasée par la basilique et communiquant avec elle, la vieille *chapelle de Notre-Dame-de-Fourvière*, consacrée à la Vierge depuis plusieurs siècles, renferme la Vierge noire miraculeuse devant laquelle de nombreuses générations sont venues s'agenouiller. On peut lire à l'intérieur, sur une grande plaque de marbre, cette inscription gravée en lettres d'or « A Notre-Dame-de-Fourvière, Lyon, reconnaissant d'avoir été, par son intercession, préservé du choléra en MDCCC XXXII (1832) et MDCCC XXXV (1835). »

Un dôme à ne pas manquer.

A la Croix-Rousse, l'*église Saint-Bruno*, de l'ancienne chartreuse du Lys Saint-Esprit, a été construite de 1734 à 1743 par l'architecte lyonnais Ferdinand Delamonce. Le dôme, illuminé la nuit par les soins de la municipalité, présente cette particularité très rare de reposer, au-dedans de la construction, sur des murs circulaires pleins qui établissent une séparation entre l'autel et les chapelles.

La première crèche vivante.

Dans la presqu'île, le vieil Hôtel-Dieu est un hôpital qui fut longtemps considéré comme un modèle du genre. L'empereur d'Autriche Joseph II s'écria à son sujet, quand il le visita en 1777 : « Les Lyonnais ont élevé là un bien beau monument à la fièvre. » C'est aussi le berceau d'une institution des sœurs hospitalières dont l'organisation est unique en France. Recrutées par les soins de l'administration civile, elles constituent une communauté libre, semi-laïque, ne dépendant d'aucune congrégation religieuse. La chapelle Louis XIII, restaurée en 1802, possède une façade de Jacques Mimerel caractérisée par ses lignes verticales et ses appareils en bossages. En 1880, apparut dans cette chapelle, pour Noël, la première crèche vivante. Une tradition était née, toujours en vigueur, et très prisée des Lyonnais. L'Enfant de la crèche est le garçon de la maternité de l'Hôtel-Dieu né le plus près de minuit dans la nuit de Noël.

Chapelles abandonnées.

Aux confins de Monplaisir et de Bron, dans le VIIIe arrondissement, sur la rive gauche du Rhône, la chapelle abandonnée de Saint-Alban-de-Chaussagne, témoin d'un passé
plusieurs fois séculaire, s'élève d'une façon insolite au milieu
des H.L.M. Les automobilistes qui empruntent la rue
Laënnec, et qui maugréent contre cette encombrante chapelle, ne se souviennent pas qu'elle fut vénérée et saluée au
passage par les voyageurs innombrables allant en Italie ou
revenant du Dauphiné ou de la Savoie.

Autre lieu de dévotion abandonné : la chapelle du lycée
Ampère. Le vénérable établissement scolaire qui porte le
nom d'Ampère depuis la fin du XIXe siècle était autrefois

placé sous l'autorité des jésuites, et il fut le collège de Lyon
dès 1565. Cette chapelle de la Trinité, de pur style jésuite,
construite au début du XVIIe siècle et consacrée le 29 octobre
1622, sert aujourd'hui de salle d'expositions. Elle fut témoin,
le 25 janvier 1802, de la proclamation du premier consul
Napoléon Bonaparte comme président de la République
cisalpine ! Bonaparte, qui avait passé en revue, place Belle-
cour, les troupes françaises revenues d'Égypte, fut acclamé
dans la chapelle par les 450 députés de la *Consulta* italienne...

La chaussure du saint dans la fontaine.

Il n'y a à Lyon qu'une seule source miraculeuse; elle est
aujourd'hui bien oubliée. Elle se trouve au fond du puits
d'une cave sordide du quai Pierre-Scize no 19, dans un
immeuble locatif où subsistent les traces d'une chapelle et
d'une recluserie vouées au culte de saint Épipoy. Le puits
paraît semblable à celui des origines; on imagine néanmoins
assez mal qu'il ait pu être honoré d'un « bref » pontifical
du VIIe siècle. C'est là que le jeune Épipode (canonisé sous
le nom de saint Épipoy) s'était réfugié pour fuir les persé-
cutions contre les chrétiens en l'an 177. Mais sa cachette
fut découverte et le malheureux fut immolé avec les martyrs
de Lyon. Au moment de son arrestation, Épipode laissa
tomber une chaussure dans la source. Ce qui explique que
ces eaux, avant d'être classées « non potables » par les
services municipaux de la ville de Lyon au XIXe siècle,
provoquèrent de nombreuses guérisons miraculeuses, particulièrement dans les cas de fièvres simples ou accompagnées
de tremblements.

Les messes noires de Lyon.

Huysmans, dans son roman *Là-bas*, a accrédité la légende
des messes noires lyonnaises. Huysmans connaissait Lyon
par les séjours qu'il fit chez son ami l'abbé Boullan, un
illuminé que l'Église finit par chasser de son sein. En 1875,
Boullan installa son « Œuvre de la Miséricorde », 7, rue de
la Martinière. Il officiait à cette adresse selon des rites caba-
listiques, et faisait servir la « messe » par des femmes aux
« organes célestifiés », sans qu'il soit question pour autant
d'assimiler ces pratiques aux sataniques messes noires. Le
défroqué, qui n'avait rien d'un dévoyé, s'élevait au contraire
contre les occultistes lucifériens qui sévissaient à cette
époque. Quand il mourut, le 4 janvier 1893, sa maison fut

longtemps hantée par ses fidèles qui gravaient un cœur
(le cœur d'Élie) sur les murs de la montée d'escaliers ! Cette
tradition du mystère est ancienne à Lyon, et la petite histoire
rapporte qu'à l'emplacement du palais Saint-Pierre il y
avait jadis un *collège de druidesses* hérétiques en désaccord
avec les dogmes gaulois.

Le diable reçoit sur rendez-vous.

En 1856, le Révérend Père dominicain Jandel, qui avait un
jour prêché à la cathédrale Saint-Jean sur la divinité de

Jésus-Christ et la vertu du signe de la Croix, fut accosté
à la sortie de la primatiale par un individu qui lui donna
rendez-vous dans une chambre de la montée du Gourguillon
aux fins de le mettre à l'épreuve de ce qu'il venait d'enseigner.
Le père dominicain consulta monseigneur de Bonald,
cardinal-archevêque de Lyon, qui l'autorisa à répondre au
défi de l'inconnu. Et c'est en civil que le Révérend Père
Jandel prit contact avec un groupe de suppôts de Satan.
Jusqu'au moment où un homme de grande taille, la tête
couverte d'un vaste chapeau, fit son entrée. C'était le Maître.
A la vue du personnage, le dominicain brandit un crucifix
qu'il avait dissimulé sous ses vêtements et fit le signe de la
Croix. Une secousse fit alors trembler les murs et l'abomi-

nable intrus s'évapora dans la panique générale ! La scène
a été certifiée authentique par une lettre à l'abbé de Baze-
laire, secrétaire général de l'évêché de Saint-Dié.

Une rue vouée à la maçonnerie.

Une rue de Lyon, dans le XIe arrondissement, a porté
jusqu'à ces dernières années le nom de *rue du Parfait-Silence*,
en souvenir d'une loge maçonnique fondée en 1762. C'est
aujourd'hui la rue Laurent-Vibert, qui fait un angle avec
le n° 45, rue Garibaldi, qui n'est autre que le temple maçonnique de Lyon.

Les derniers ennemis du Concordat.

C'est à Lyon que l'on rencontre les derniers disciples de la
Petite Église anticoncordataire, composée de catholiques
farouches qui se sont exclus de la hiérarchie officielle depuis
le concordat de 1802 entre Bonaparte et Pie VII. Ils
suppléent à leur isolement par un accomplissement strict
des devoirs chrétiens, mais ils administrent eux-mêmes le
baptême ou le sacrement suprême, et, quoi qu'il leur en
coûte, se font enterrer civilement. Le carré irréductible de
ces fanatiques demeure sourd aux appels de l'Église apos-
tolique et romaine, et notamment à celui qui parut dans
la *Semaine religieuse de Lyon* du 25 février 1949, et qui
spécifiait : « Suivant une déclaration expresse du Saint-Père
à Son Éminence, les membres de la Petite Église anticoncordataire qui désirent reprendre leur place dans l'Église, ne
doivent être astreints à aucune adjuration ou profession
de foi. »

Pour donner ses maux à autrui.

Les rites de guérison sont tombés en désuétude, et l'on n'en
cite plus guère que deux exemples. Contre les migraines et
les douleurs, il est recommandé, en marge des thérapeutiques
classiques, de s'enduire de salive l'annulaire de la main
gauche et de faire avec lui un signe de croix sur la partie
malade. Contre les cors aux pieds, les *agacins*, il n'est certes
pas charitable, mais souvent efficace, de déposer des oignons,
la nuit, devant la porte d'un voisin qui héritera du mal en
les ramassant.

La patrie de Guignol.

Guignol est né à Lyon. Son costume est celui des ouvriers
canuts à Lyon à la fin du XVIIIe siècle. Il est constitué d'un

petit chapeau noir à oreillettes, d'où sort, par derrière, une
tresse de cheveux qualifiée de *queue de rat* ou *salsifi.* Ce salsifi
n'est autre qu'un *cadogan* (du nom du général anglais,
Cadogan, qui créa ce genre de coiffure masculine). Guignol
porte enfin, à défaut de culotte (puisque c'est une poupée
à main), une veste de bure à basques et haut collet... Son
inséparable compère, Gnafron, ivrogne à l'accent rocailleux,
cordonnier de son état, *regrolleur* « bijoutier sur le genou »,
se contente d'un haùt-de-forme cabossé ou d'une casquette
à visière de cuir, d'une blouse et d'un tablier de cuir. Il a
toujours une bouteille de beaujolais à portée de la main.

Le carnaval du 8 décembre.

Une fête locale se déroule le 8 décembre. Dans le décor de
la féerie de la nuit du 8 décembre, Lyon surgit de l'ombre
et se transforme en un gigantesque théâtre vivant où la
scène est partout présente, où le spectacle est permanent,
et où les acteurs enthousiastes sont les Lyonnais eux-mêmes.
Le mercredi 8 décembre 1852, le cardinal de Bonald, archevêque de Lyon, bénissait une statue monumentale de la
Vierge (due au sculpteur Fabisch) sur le clocher en pain de
sucre de la vieille chapelle de Fourvière où elle est encore
visible. La date choisie (fête de l'Immaculée Conception) ne
coïncidant avec aucun autre fameux anniversaire, la céré-

monie ne se distingua pas par son faste. Il faisait même, ce jour-là, un temps épouvantable, de sorte que l'on remit au dimanche suivant les illuminations de la statue et des églises de la ville prévues par les autorités ecclésiastiques. Mais, dans la soirée, à la faveur du beau temps, les bourgeois lyonnais, qui avaient fait provision de lampions et de chandelles, les utilisèrent sur leurs fenêtres. Une tradition était née.

Le lion des armes de la ville.

Ce lion apparut au début du XIIIe siècle sur l'écu de l'Église alors toute-puissante. Lorsque les bourgeois se soulevèrent, en 1269, avec l'appui du roi de France, contre leurs maîtres ecclésiastiques, ils le firent au cri désormais consacré parmi les devises de la ville, de : « Avant, avant, lion le melhor. » Depuis, ce lion a connu des fortunes diverses, mais il n'a cessé d'occuper une place de choix dans les armoiries de la cité, qui se lisent ainsi : « De gueules au lion d'argent tenant une épée haute du même, au chef cousu d'azur chargé de trois fleurs de lys d'or. » L'épée a été ajoutée par une lettre patente de Louis XVIII, en date du 27 février 1819, sur la requête du Conseil municipal « désirant transmettre à la postérité le souvenir du siège soutenu par la ville en 1793 pour la défense de la cause royale ». C'est d'ailleurs contre la Convention, et non pour la Monarchie, que les Lyonnais s'étaient rebellés.

Le crocodile de l'Hôtel-Dieu.

Ce crocodile empaillé, qui trône au musée des Hospices, provient de la chapelle du Saint-Esprit, située à l'entrée du pont de la Guillotière et démolie en 1774. Cet animal jouit d'un grand prestige dans le monde médical, et il a donné son nom à la revue de l'Internat ainsi qu'aux albums historiques publiés par un groupe d'érudits. On prétend qu'il aurait remonté le cours du Rhône au Moyen Age en dévorant de nombreux mariniers, et qu'il aurait été tué en combat singulier par un condamné à mort, qui aurait ainsi obtenu la vie sauve.

Les sorcières de Fourvière.

Les sorcières du Moyen Age se réunissaient de préférence sur les ruines du temple de Cybèle, derrière le théâtre romain de Fourvière. Cybèle était adorée sous la forme d'une pierre

noire; elle se rendait au sabbat dans un char tiré par quatre
lions. Le prophète phrygien Montan, arrivé, on ne sait trop
comment, à Lugdunum au IIe siècle de notre ère, transforma
son culte en un compromis pagano-chrétien, le *montanisme*,
où l'on préconisait simultanément les austérités, les sacrifices, et les charmes de la sorcellerie. Le souvenir du montanisme a longtemps plané sur Lyon. Il a fardé d'étranges
couleurs le visage de la sorcellerie locale, de même que
l'arianisme des Burgondes, qui transplanta ici la méta-
physique d'Ahrimane, prince des Ténèbres. C'est ainsi que
l'on fabrique des diableries et que l'on mit sur le compte
de la sorcellerie les phénomènes réels ou imaginaires accom-
pagnant les catastrophes ou les faits divers.

Lyon, labyrinthe souterrain.

Lyon possède un sous-sol tourmenté. La mer miocène vint
battre le pied des collines lyonnaises. Lors du percement
des tunnels, des *ficelles* de la Croix-Rousse et du tunnel de
la gare Saint-Paul, on a pu retrouver l'ancienne falaise de
gneiss et de granit, avec ses blocs de rivage et ses animaux
marins. C'est le quaternaire qui a laissé son empreinte déci-
sive avec ses phénomènes superposés d'alluvionnement et
de glaciation, sur une couche profonde de molasse jaune et
d'argile verte recouverte par des sables et des graviers. Vers
le milieu du quaternaire, l'avancée du glacier du Rhône fut
si formidable qu'elle recouvrit les falaises lyonnaises. Et là
où la coulée glaciaire fut la plus extrême, elle est caractérisée
par ces bourrelets allongés, appelés moraines frontales, qui
forment le revêtement de Fourvière et de la Croix-Rousse.
De sorte que les responsables qualifiés vivent dans la crainte
permanente des glissements et des effondrements que
pourrait entraîner l'infiltration des eaux dans ce sous-sol
à surprises. D'où la multiplication des murs de soutènement,
des escaliers, et aussi des galeries souterraines destinées à
draîner les sources ou les eaux de pluies. Les Romains, qui
avaient perçu le danger, avaient déjà commencé à creuser
de profondes galeries en tous sens. Aujourd'hui on distingue
plusieurs réseaux de labyrinthes souterrains, très sérieuse-
ment entretenus et visités, et en majorité bétonnés. Ce qui
n'empêche pas que, dans quelques centaines de siècles, il
ne restera sans doute rien de la colline de la Croix-Rousse,
qui est la plus vulnérable, et peut se comparer à une éponge.
Ces galeries sont en principe répertoriées, mais il en existe

de très anciennes, inconnues, abandonnées ou impraticables.
On raconte que certaines servirent de refuge aux premiers
chrétiens, et que d'autres furent utilisées par des hors-la-loi :
Mandrin, par exemple, qui se vantait d'avoir échangé des
marchandises avec les bourgeois de Lyon sans passer par
les guichets d'octroi. Il aurait utilisé le souterrain qui part
du jardin en terrasse du 16, rue du Bœuf, et qui irait jusqu'à
Vaise. Ce boyau mystérieux qui peut difficilement passer
pour une galerie de drainage, est fermé au public par une
porte de fer. En franchissant cette porte, on se trouve
d'abord sous une voûte qui servit d'abri pendant la dernière
guerre puis, 100 m plus loin, on se heurte à une grille au-delà
de laquelle il existe un danger très réel d'éboulements.
Personne n'est jamais allé plus avant, et toutes les suppo-
sitions sont permises. Fourvière garde son secret.

IMPRIMÉ EN FRANCE PAR BRODARD ET TAUPIN
7, bd Romain-Rolland - Montrouge.
Usine de La Flèche, le 18-06-1975.
6759-5 - N° d'Editeur 983, 2ᵉ trimestre 1975.